GEMEINSAME
RÖMISCH-KATHOLISCHE/EVANGELISCH-LUTHERISCHE
KOMMISSION

DAS HERRENMAHL

GEMEINSAME
RÖMISCH-KATHOLISCHE/
EVANGELISCH-LUTHERISCHE
KOMMISSION

DAS HERRENMAHL

VERLAG BONIFACIUS-DRUCKEREI PADERBORN
VERLAG OTTO LEMBECK FRANKFURT AM MAIN

3. AUFLAGE

ISBN 3 87088 208 5 (Verlag Bonifacius-Druckerei)
ISBN 3 87476 114 2 (Verlag Otto Lembeck)

DRUCK BONIFACIUS-DRUCKEREI PADERBORN 1979

INHALT

VORWORT

Die gemeinsame römisch-katholische/evangelisch-lutherische Kommission, die vom Sekretariat für die Einheit der Christen in Rom einerseits und vom Lutherischen Weltbund andererseits eingesetzt worden ist, hat ein Dokument über das Herrenmahl erarbeitet. Nachdem es von den Kommissionsmitgliedern einstimmig verabschiedet werden konnte, wird es nunmehr zur Diskussion gestellt. In wichtigen Punkten ist es zu Übereinstimmungen gekommen. So ist ein weithin gemeinsames Zeugnis möglich geworden. Das gibt die Zuversicht, daß auch die noch offenen Fragen einvernehmlich geklärt werden.

Wir hoffen, daß dieses hier vorgelegte Dokument der vollen Gemeinschaft im Glauben und so der ersehnten Gemeinschaft am Tisch des Herrn näherbringt.

Hans L. Martensen	George A. Lindbeck
Bischof von Kopenhagen	Professor der Yale-Universität
Dänemark	New Haven, USA

Gemeinsame Vorsitzende

EINLEITUNG

1. Seit 1965 — nach mehr als 400 Jahren der Trennung — finden auf Weltebene Gespräche zwischen offiziell ernannten Vertretern des Lutherischen Weltbundes und der römisch-katholischen Kirche statt. Die zuständigen kirchlichen Autoritäten beriefen eine international zusammengesetzte Studienkommission, die unter dem Thema „Das Evangelium und die Kirche" theologische Probleme, insbesondere die traditionellen theologischen Kontroversen, im Licht neuerer Erkenntnisse erörtern sollte. 1972 wurde eine Zusammenfassung der Arbeitsergebnisse der Studienkommission veröffentlicht[1]. Darin kommen bedeutsame Konvergenzen und Übereinstimmungen zum Ausdruck. Wie jedoch im Vorwort der Veröffentlichung gesagt wird, war das Gesamtthema so umfassend, daß bestimmte Fragen nicht oder nicht ausführlich behandelt werden konnten. Dazu zählen auch diejenigen um Eucharistie und Amt. Die Notwendigkeit einer gründlichen Klärung dieser Fragen wird nicht nur von der Kommission selbst und im Echo auf den Malta-Bericht unterstrichen; ihre Dringlichkeit wird vor allem angesichts der Trennung

[1] Bericht der evangelisch-lutherisch/römisch-katholischen Studienkommission „Das Evangelium und die Kirche", mit einem Vorwort von Dr. André Appel, Generalsekretär des Lutherischen Weltbundes, und Johannes Kardinal Willebrands, Präsident des Sekretariats für die Einheit der Christen (der sog. Malta-Bericht), in: Evangelium - Welt - Kirche. Schlußbericht und Referate der römisch-katholisch/evangelisch-lutherischen Studienkommission „Das Evangelium und die Kirche", 1967-1971. Hrsg. v. H. Meyer, Frankfurt/M. 1975, 7-32, 33-58; ferner in: H. Meyer, Luthertum und Katholizismus im Gespräch, Frankfurt/M. 1973, 143-174; G. Gassmann, M. Lienhard, H. Meyer, H.-V. Herntrich (Hrsg.), Um Amt und Herrenmahl, Frankfurt/M. 1974, 23-54.

im Mahl der Einheit schmerzlich bewußt: zur vollen Einheit der Christen gehört eucharistische Gemeinschaft, die Einheit im Glauben voraussetzt. In Fortführung des offiziellen Dialogs hat darum die römisch-katholische/evangelisch-lutherische gemeinsame Kommission ihre Aufmerksamkeit besonders auf die Eucharistie konzentriert und legt nun das Ergebnis ihrer Bemühungen vor[2]. Eine Studie über das kirchliche Amt unter besonderer Berücksichtigung des Bischofsamtes soll folgen; manche mit der Eucharistie zusammenhängenden Fragen sind darin zu beantworten.

2. Bei der Erarbeitung des vorliegenden Textes war die lutherisch/katholische Kommission bestrebt, soweit möglich ein gemeinsames Zeugnis zu geben und die offenen Fragen sowohl klar zu markieren als auch einer Antwort näherzuführen. Was lutherische und katholische Christen gemeinsam bekennen können, soll so in das Leben der Kirche und der Gemeinden gelangen.

3. Der Text des Dokumentes erwuchs aus der Besinnung auf das Zeugnis der Heiligen Schrift und der kirchlichen Traditionen. Insbesondere wurde die liturgische Konkretgestalt in die Überlegungen einbezogen, da zur eucharistischen Wirklichkeit Lehre und Leben, Bekenntnis und liturgische Form, Frömmigkeit und Praxis gehören. In Dankbarkeit für das von anderen Erarbeitete und im Hinblick auf eine möglichst weitreichende ökumenische Auswirkung wurden Aussagen von schon vorhandenen ökumenischen Dokumenten übernommen, soweit sie dem lutherischen und katholischen Verständnis entsprechen[3].

[2] Dem unterschiedlichen Sprachgebrauch gemäß werden die Bezeichnungen Abendmahl, Eucharistie und Herrenmahl verwandt.

[3] Konsensustexte der Kommission für *Glaube und Kirchenverfassung:*
- „Eucharistie im ökumenischen Denken“ (1967), in: K. Raiser (Hrsg.), Löwen 1971, Beiheft zur Ökumennischen Rundschau 18/19, Stuttgart 1971, 71-77;

4. Das Ganze ist wie folgt gegliedert:

— Im ersten Teil, dem „gemeinsamen Zeugnis", wird ausgesagt, was lutherische und katholische Christen gemeinsam bekennen können.

— Der zweite Teil wendet sich den „gemeinsamen Aufgaben" zu: Kontroversfragen werden umschrieben und behandelt; Konsequenzen und Forderungen werden angesprochen, die sich für Leben und Lehre der Kirchen, insbesondere für die Liturgie, ergeben.

— Im Anschluß an die Darlegungen sind liturgische Tradi-

- „Interkommunion oder Gemeinschaft?" (1969), ebd. 53-70; zit. Löwen;
- „Die Eucharistie" (1974), in: G. Müller-Fahrenholz (Hrsg.), Accra 1974, Beiheft zur Ökumenischen Rundschau 27, Stuttgart 1975, 101-108; ferner in: G. Müller-Fahrenholz (Hrsg.), Eine Taufe - Eine Eucharistie - Ein Amt, Frankfurt/M. ²1976, 13-20; zit.: Accra.

Konsensustexte der aus katholischen, lutherischen und reformierten französischsprachigen Theologen gebildeten *Gruppe von Dombes:*
- „Auf dem Weg zu ein und demselben eucharistischen Glauben?" (1971), in: G. Gassmann u. a. Hrsg., Um Amt und Herrenmahl, Frankfurt/M. 1974, 104-112; zit.: Dombes I;
- „Die Bedeutung der Eucharistie" (1972), ebd. 113-116; zit.: Dombes II.

Dokumente bilateraler Gespräche mit der *Anglikanischen Kirche:*
- Bericht über die von der Lambeth-Konferenz und dem LWB autorisierten Gespräche 1970-1972, in: G. Gassmann, M. Lienhard, H. Meyer (Hrsg.), Vom Dialog zur Gemeinschaft, Frankfurt/M. 1975, 43-80;
- Gemeinsame Erklärung über die Lehre von der Eucharistie, von einer internationalen anglikanisch-römisch-katholischen Kommission erarbeitet (1971), ebd. 129-135; zit.: Windsor.

Bericht über offizielle *katholisch-lutherische Gespräche:*
- „Die Eucharistie - Eine lutherisch/römisch-katholische Stellungnahme" (USA 1967), in: G. Gassmann u. a. Hrsg., Um Amt und Herrenmahl, Frankfurt/M. 1974, 57-70; zit.: USA I;
- „Eucharistie und Amt - Eine lutherisch/römisch-katholische Stellungnahme" (USA 1970), ebd., 71-102; zit.: USA II;
- „Das Evangelium und die Kirche". Bericht einer internationalen lutherisch/römisch-katholischen Studienkommission (1972), ebd. 23 bis 54; zit.: Malta.

tion und Praxis der beiden Kirchen durch einige Texte eucharistischer Liturgien exemplifiziert.
— In beigefügten Exkursen wird aus der Sicht eines lutherischen und eines katholischen Mitglieds der Kommission an einigen wesentlichen Punkten Rechenschaft darüber gegeben, inwieweit die in der Vergangenheit trennenden Kontroversfragen durch theologisch-historische Forschungen und kirchliche Entwicklungen lösbar geworden sind. Die Kommission hat die von den Autoren in eigener Verantwortung erarbeiteten Texte zustimmend zur Kenntnis genommen.

5. Das vorliegende Dokument wendet sich an alle katholischen und lutherischen Christen: an die Kirchenleitungen, die Theologen, die Seelsorger, die Gemeinden, besonders an alle im ökumenischen Dialog befindlichen Gruppen. Aber nicht nur lutherische und katholische Christen sind angesprochen: Wie die Kommission dankbar die Anregungen anderer christlicher Gesprächsgruppen aufgenommen hat, so hofft sie selbst, daß die lutherisch/katholischen Darlegungen zur Eucharistie andern dienlich sein können. Deshalb wurde versucht, durch das Dokument Zeugnis abzulegen von einer Wahrheit, die für alle Menschen — Christen wie Nichtchristen — bestimmt ist.

I. TEIL
GEMEINSAMES ZEUGNIS

I. Das Vermächtnis Jesu gemäss der Schrift

6. Bevor Jesus in den Tod ging, um den Menschen Frieden und Gemeinschaft mit Gott und untereinander zu schenken, hat er den Seinen sein Mahl bereitet: „Am Abend, an dem er ausgeliefert wurde und sich aus freiem Willen dem Leiden unterwarf, nahm er das Brot und sagte Dank, brach es, reichte es seinen Jüngern und sprach: ‚Nehmet und esset alle davon: Das ist mein Leib, der für euch hingegeben wird.' Ebenso nahm er nach dem Mahl den Kelch, dankte wiederum, reichte ihn seinen Jüngern und sprach: ‚Nehmet und trinket alle daraus: Das ist der Kelch des neuen und ewigen Bundes, mein Blut, das für euch und für alle vergossen wird zur Vergebung der Sünden. Tut dies zu meinem Gedächtnis'[4]." In diesem neuen Passah-Mahl gab der Herr sich selbst den Seinen zur Speise und ließ sie so in Erwartung seiner kommenden Herrlichkeit teilhaben an seinem Wirken, Leiden und Leben (vgl. Mt 26,26-29; Mk 14,22-25; Lk 22,16-20; 1 Kor 11,23-26).
Wann immer die Christen aller Zeiten das Mahl des Herrn nach seinem Willen zu seinem Gedächtnis feiern, gewährt der Herr diese Gemeinschaft aufs neue und schenkt so „Vergebung der Sünden, Leben und Seligkeit"[5].

II. Geheimnis des Glaubens

7. Das Herrenmahl ist ein Geheimnis des Glaubens im vollsten Sinn des Wortes. Es gehört zu dem einen umfassenden und unfaßbaren Heilsmysterium und hat teil an dessen Geheimnischarakter: Gott muß sich mitteilen,

[4] Ordo Missae, Hochgebet II im Anschluß an Hippolyt.
[5] M. Luthers Kleiner Katechismus.

wenn der Mensch das Mysterium erkennen soll, und nur in dem Maße, wie der Herr es will und wirkt, tritt es in unseren Gesichtskreis. Die Eucharistie ist uns daher nur durch das Gottesgeschenk des Glaubens zugänglich.

8. Erst recht sind die von den Mitfeiernden geforderten Haltungen und Handlungen eine Sache des Glaubens, nicht eigener Kraft. Allein aus der vom Heiligen Geist gewirkten Glaubensgemeinschaft erwächst die eucharistische Lebens- und Tatgemeinschaft (s. u. 23).

9. Da christliches Glauben sich wesenhaft als Mitglauben mit allen Glaubenden vollzieht, ist die Eucharistie Sache der Gemeinschaft und in ihr Sache des einzelnen. Wie der „neue Bund“ wird auch das in der Eucharistie gereichte „Bundesblut“ (Mt 26,28; Mk 14,24; vgl. Lk 22,20; 1 Kor 11,25) dem neuen Gottesvolk gewährt und so dessen Gliedern zuteil.

10. In dem gegenwärtigen Herrn ist alle „Gnade und Wahrheit“ (Joh 1,14) unter uns. So ist die Eucharistie Geheimnis des Glaubens auch in dem Sinn, daß sie die wesentlichen Dimensionen der Glaubenswahrheit umfaßt.

In ihrem Vollzug spiegeln sich Phasen der Heilsgeschichte wider: Wir werden an die gute Schöpfung Gottes erinnert, für die wir Lob und Dank darbringen;
die Wirklichkeit der Sünde wird ersichtlich und fordert unser Besinnen und Bekennen;
Zuspruch und Verheißung des Gotteswortes werden neu verlautbart und im Hören, Gehorchen und Antworten aufgenommen;
Brot und Wein, Dinge unserer Welt, werden in den Erlösungs- und Heiligungsprozeß ebenso einbezogen wie Grundvollzüge menschlichen Lebens: Essen und Trinken, gemeinsames Feiern und Handeln;

die Vereinigung mit dem Herrn und den Seinen ist Verkündigung und Anbruch des Gottesreiches mitten unter uns und Verheißung der kommenden Vollendung.

11. Letztlich verbindet uns das Geheimnis der Eucharistie mit dem Urgeheimnis, aus dem und durch das und auf das hin alles ist, dem Geheimnis des dreieinigen Gottes:
Der himmlische Vater ist der erste Ursprung und das letzte Ziel des eucharistischen Geschehens.
Der menschgewordene Gottessohn, durch den, mit dem und in dem es sich vollzieht, ist dessen lebendige Mitte.
Der Heilige Geist ist die unermeßliche Liebeskraft, die es bewirkt und weiterhin wirksam werden läßt.

12. Am Ende mehrerer liturgischer Hochgebete wird dieses tiefste Geheimnis der Eucharistie und unseres Lebens im Lobpreis gefeiert. Im Blick auf den gegenwärtigen Herrn Jesus Christus heißt es:

„Durch ihn und mit ihm und in ihm
ist dir, Gott, allmächtiger Vater,
in der Einheit des Heiligen Geistes
alle Herrlichkeit und Ehre jetzt und in Ewigkeit. Amen".

Mit diesem Lobpreis, den wir uns gemeinsam zu eigen machen, können wir gemeinsam folgendes bezeugen:

III. Durch, mit und in Christus

Durch Christus

13. Allein *durch Jesus Christus* gibt es die Eucharistie. Er hat sie erstmals im Kreis der Jünger gefeiert. Er hat den Auftrag erteilt, sie immer wieder zu seinem Gedächtnis zu vollziehen, bis er wiederkommt. Er bereitet das Mahl, er lädt dazu ein. Durch ihn wird die volle, bewußte und täti-

ge Teilnahme aller Gläubigen[6] am eucharistischen Geschehen möglich und wirklich. Durch ihn werden berufen und beauftragt, die der eucharistischen Feier in seinem Namen vorstehen. Ihr Dienst ist ein nachdrücklicher Hinweis darauf „daß die Versammlung über die Handlung, die sie gerade vollzieht, nicht verfügungsberechtigt ist, daß sie nicht Herr der Eucharistie ist: Sie empfängt sie von einem anderen, von Christus, der in seiner Kirche lebt[7]" (s. u. 65 bis 68).

Mit Christus

14. Durch ihn können wir *mit ihm* Eucharistie feiern. Nicht aufgrund menschlicher Verdienste noch durch menschliche Tüchtigkeit, sondern allein kraft seiner Gnade ereignet sich das Wunder seiner Gegenwart. Was diese bedeutet und bewirkt, können wir nur ermessen, wenn wir offen sind für die verschiedenen Weisen der Gegenwart des Herrn.

15. Jesus Christus erfüllt sein Versprechen: „Ich bin bei euch alle Tage bis zur Vollendung der Welt" (Mt 28,20) auf vielfältige Weise. „Wir bekennen eine vielfältige Gegenwart Christi, des Wortes Gottes und Herrn der Welt. Der gekreuzigte und auferstandene Herr ist in seinem Leib, dem Volk Gottes, gegenwärtig, denn er ist dort gegenwärtig, wo zwei oder drei in seinem Namen versammelt sind (Mt 18,20). Er ist gegenwärtig in der Taufe, denn es ist Christus selbst, der tauft. Er ist gegenwärtig in der Verlesung der Heiligen Schrift und der Verkündigung des Evangeliums[8]". Gegenwärtig ist der Herr in den Armen und Notleidenden, gilt doch sein Wort: „Was ihr dem Geringsten meiner Brüder getan habt, das habt ihr mir getan" (Mt 25,40).

[6] Vgl. Vatikanum II, Liturgiekonstitution Nr. 14.
[7] Dombes I, Nr. 34.
[8] USA I, II 1 a.

16. Die eucharistische Gegenwart hängt mit all diesen Gegebenheiten zusammen und ist zugleich von besonderer Art. „Christus ist auf verschiedene Weise in der gesamten eucharistischen Feier gegenwärtig und wirksam. Er ist derselbe Herr, der durch das verkündigte Wort sein Volk an seinen Tisch lädt, der der Gastgeber an diesem Tisch durch seinen Diener ist und der sich selbst in sakramentaler Weise in Leib und Blut seines Passah-Opfers dargibt[9]."

Im Sakrament des Abendmahls ist Jesus Christus, wahrer Gott und wahrer Mensch, voll und ganz mit seinem Leib und seinem Blut unter dem Zeichen von Brot und Wein gegenwärtig.

„Im Laufe der Jahrhunderte haben Christen mit verschiedenen Formulierungen versucht, diese Gegenwart zu beschreiben. Unsere konfessionellen Dokumente bezeugen gemeinsam, daß Jesus Christus in diesem Sakrament ‚real', ‚wahrhaft' und ‚substantiell' gegenwärtig ist. Diese Art der Gegenwart ‚läßt sich kaum in Worten zum Ausdruck bringen', aber wir bezeugen seine Gegenwart, weil wir an die Macht Gottes und die Verheißung Jesu Christi glauben: ‚Dies ist mein Leib . . . Dies ist mein Blut . . .' Unsere Traditionen haben diese Gegenwart als ‚sakramental', ‚übernatürlich' und ‚geistlich' bezeichnet. Diese Begriffe haben in den beiden Traditionen unterschiedliche Bedeutungen, aber sie wenden sich gemeinsam gegen eine räumliche oder naturhafte Art der Gegenwart und gegen ein rein erinnerndes oder figuratives Verständnis des Sakraments[10]."

17. „Christus hat die Eucharistie, das Sakrament seines Leibes und Blutes mit seiner Konzentration auf das Kreuz und die Auferstehung, eingesetzt als die Anamnese des ganzen Versöhnungshandelns Gottes in seiner Person. Mit allem, was Christus für uns und für die gesamte Schöp-

[9] Windsor Nr. 7. [10] USA I, II 1 c.

fung getan hat (in seiner Menschwerdung, seiner Knechtschaft, seinem Dienst, seiner Lehre, seinem Leiden, seinem Opfer, seiner Auferstehung, Himmelfahrt und zu Pfingsten), ist er in dieser Anamnese gegenwärtig, wie zugleich der Vorgeschmack seiner Parusie und der Vollendung der Gottesherrschaft gegenwärtig ist“[11] (s. u. 36).

18. Der in unserer Mitte gegenwärtige Herr will uns in seine Lebensbewegung hineinnehmen. Der sich in seiner Liebe in den Tod gegeben hat, lebt in uns (Gal 2,20). Mit ihm sind wir durch seine Gnade „vom Tod ins Leben übergegangen“ (Joh 5,24). Mit ihm wandern wir in der Teilhabe am eucharistischen Sakrament durch diese Welt in die zukünftige (pascha, transitus). Als Beschenkte und durch seinen Geist lebendig Gewordene dürfen wir seine Liebe weitergeben und so den Vater verherrlichen. So wenig wir aus eigener Kraft Gott ein wirkliches Opfer darbringen können, so sehr sollen wir durch die Kraft Christi in sein Opfer hineingenommen werden. „Wenn wir im Abendmahl mit unserer Hingabe vor Gott treten, dann tun wir das nur ‚durch Christus‘, das heißt unter Bezugnahme auf seine Hingabe . . . Sich hingeben heißt letztlich: sich öffnen, um ihn zu empfangen[12].“
„So werden wir, vereint mit unserem Herrn, der sich dem Vater darbietet, und in Gemeinschaft mit der universalen Kirche im Himmel und auf Erden in dem mit Christi Blut besiegelten Bund erneuert und bieten uns selbst in einem lebendigen und heiligen Opfer dar, das in unserem ganzen alltäglichen Leben zum Ausdruck kommen muß[13].“
Auf solche Weise soll je neu verwirklicht werden, was immerzu Sinn des christlichen Glaubens ist: die Verbindung, auf die er angelegt ist, gilt dem konkreten Herrn

[11] Accra Nr. 8.
[12] W. Jentsch, H. Jetter, M. Kießig, H. Reller (Hrsg.), Evangelischer Erwachsenenkatechismus, Gütersloh 1975, 1111.
[13] Dombes I, Nr. 11; vgl. Accra Nr. 11.

samt seinem konkreten Geschick. Wer sich mit ihm vereinigt, ist aufgefordert zum Mitsterben und Mitauferstehen (s. u. 34-36).

In Christus

19. Dieses Mit-Christus-Sein gründet und gipfelt in dem *In-Christus-Sein.* Unter den Zeichen von Brot und Wein bietet der Herr sein für alle dahingegebenes Fleisch und Blut, d. h. sich selbst, zur Speise dar. So erweist er sich als „das lebendige Brot, das vom Himmel herabkommt" (Joh 6,51). Wenn einer glaubend diese Speise empfängt, wird er einer Christusgemeinschaft teilhaft, die der Gemeinschaft des Sohnes mit dem Vater verwandt ist: „Wie mich der lebendige Vater gesandt hat und ich durch den Vater lebe, so wird auch jeder, der mich ißt, durch mich leben" (Joh 6,57). Christus will in uns, wir dürfen in Christus sein: „Wer mein Fleisch ißt und mein Blut trinkt, der bleibt in mir und ich in ihm" (Joh 6,56). Diese Gemeinschaft gründet in der Ewigkeit und reicht wiederum über die Zeit hinaus in sie hinein: „Wer dieses Brot ißt, wird leben in Ewigkeit" (Joh 6,58).

20. Indem Christus sich selbst schenkt, vereinigt er alle, die an seinem Mahl teilnehmen: die vielen werden „ein Leib" (1 Kor 10,17). In der Kraft des Heiligen Geistes werden sie als das eine Volk Gottes erbaut. „Der Geist ist es, der lebendig macht" (Joh 6,63). So ist das eucharistische Mahl die Quelle des täglich neuen Lebens des Gottesvolkes, das hier versammelt und im einen Glauben erhalten wird.

IV. In der Einheit des Heiligen Geistes

Der Heilige Geist und die Eucharistie

21. Jesus hat zeit seines Lebens alles im Heiligen Geist getan (vgl. Lk 4,1.14.17-21). In ihm hat er sich zum Opfer

dargebracht (vgl. Hebr 9,14). Kraft des Heiligen Geistes hat er Sünde und Tod besiegt, ist aus dem Grabe erstanden und lebt inmitten seiner pfingstlichen Gemeinde. Durch diesen Geist und in ihm sollen die Glaubenden mit Christus verbunden bleiben und sein Werk fortsetzen.
Auch sein eucharistisches Wirken geschieht durch den Heiligen Geist. Alles, was der Herr uns gibt, und alles, was uns dazu befähigt, es uns zu eigen zu machen, wird uns durch den Heiligen Geist zuteil. Das kommt in der Liturgie besonders in der Anrufung des Heiligen Geistes (Epiklese) zum Ausdruck[14].

22. Im Gedächtnis der Fürbitte Christi, ihres Hohenpriesters, bittet die Kirche mit Vertrauen um seinen Geist, damit sie durch die eucharistischen Gaben erneuert und geheiligt und für ihre Sendung in die Welt gestärkt wird. Kraft des Heiligen Geistes werden Brot und Wein durch das schöpferische Wort Leib und Blut Christi. Der Geist der Liebe läßt das Sakrament der Liebe Wirklichkeit werden, in dem die göttliche Liebe dem Menschen in seine irdische Wirklichkeit nachgeht, um ihn wieder heimzuholen.

23. Nur im Heiligen Geist kommt die Gemeinde zu dem Glauben, ohne den sie die Eucharistie nicht feiern kann. Die Epiklese ist daher auch das Gebet um einen lebendigen Glauben, der uns bereiten soll zur Feier des Gedächtnisses des Leidens und der Auferstehung Christi. Die Eucharistie ist kein automatisch wirksames Heilmittel für die Rettung der Welt; sie setzt die Gegenwart des Heiligen Geistes im Gläubigen voraus (s. o. 7-9).

24. In den *Früchten* des Heiligen Geistes, die den Glaubenden in der Eucharistie in besonderer Weise zuteil werden,

[14] Vgl. Dombes I, Nr. 13-16 und Accra Nr. 17 u. 18.

in der Liebe, der Freude, dem Frieden, geschieht eine Vorwegnahme der Vollendung. Sie ist das Mahl, das im Blick auf sein Kommen in Herrlichkeit zur Stärkung der Gläubigen gefeiert wird. Die Anrufung des Heiligen Geistes ist (demgemäß) eine Bitte um den Einbruch der zukünftigen Welt in unsere gegenwärtige (s. u. 42-45).

Eucharistie und Kirche

25. Hineingetauft durch den einen Geist in den einen Leib (vgl. 1 Kor 12,13) werden die Gläubigen — vom Leib Christi genährt — durch den Heiligen Geist immer mehr ein Leib (vgl. 1 Kor 10,17). Eucharistie und Kirche sind somit auf vielfache Weise vital verbunden:

26. Indem Christus sich in der Eucharistie den Seinen schenkt, wird sein Leben ihr Leben, wird sein Geist ihr Geist. Aus dem Ereignis der sakramentalen Christusgemeinschaft wird die bleibende Lebensform der kirchlichen Christusgemeinschaft. „Nichts anderes bewirkt die Teilhabe an Leib und Blut Christi, als daß wir in das übergehen, was wir empfangen[15].“ „. . . wahrhaftig werden auch wir in den geistlichen Leib, das ist in die Gemeinschaft Christi und aller Heiligen, gezogen und verwandelt und durch dies Sakrament in alle Tugenden und Gnaden Christi und seiner Heiligen gesetzt[16].“ So ist die Eucharistie zugleich Quelle und Höhepunkt kirchlichen Lebens. Ohne Eucharistiegemeinschaft gibt es keine volle kirchliche Gemeinschaft, ohne kirchliche Gemeinschaft keine wahrhafte eucharistische Gemeinschaft.

27. Das gilt zunächst für die konkrete Gemeinde, die sich irgendwo zur Feier des Herrenmahls zuammenfindet, betrifft aber gleichermaßen die gesamte Christenheit.

[15] Leo d. Gr., Sermo 63,7.

[16] M. Luther, Sermon zum heiligen Leichnam Christi, WA 2,749,10 = MA 1, 389.

„Das Teilhaben am gemeinsamen Brot und am gemeinsamen Kelch an einem bestimmten Ort weist darauf hin, daß die Teilhabenden mit dem ganzen Christus und mit den gemeinsam mit ihnen zu allen Zeiten und an allen Orten Teilhabenden eins sind. Indem sie das gemeinsame Brot teilen, bezeugen sie ihre Einheit mit der weltweiten Kirche[17]."

Selbst die Grenze der irdischen Wirlichkeit wird überschritten, indem uns der Heilige Geist auch mit denen verbindet, die uns im Glauben vorausgegangen sind und zur bleibenden Gottesgemeinschaft gerufen wurden.

28. Angesichts der von Christus geschenkten Einheit wiegt es um so schwerer, wenn Christen sich immer wieder gegen diese Einheit versündigen. Das geschieht, wenn sie im Glauben und im Hoffen versagen, aber auch wenn sie tiefgreifende zwischenmenschliche Trennungen im persönlichen wie im sozialen Bereich zulassen oder sogar verursachen.

Wer in die Gemeinschaft mit dem Herrn hineingenommen ist, muß mit ihm gegen die Mauern der Feindschaft vorgehen, welche die Menschen gegeneinander errichten: Mauern der Feindschaft zwischen Stämmen, Nationen, Rassen, Klassen, Geschlechtern, Generationen, Konfessionen und Religionen[18].

V. Verherrlichung des Vaters

29. Die Christusgemeinschaft, in die wir in der Eucharistie kraft des Heiligen Geistes hineingenommen werden, führt letztlich hin zum ewigen Vater. Das geschieht auf verschiedenen Ebenen und in unterschiedlichen, jedoch innerlich miteinander verbundenen Weisen.

[17] Accra Nr. 19; vgl. Dombes I, Nr. 21.
[18] Vgl. Dombes I, Nr. 22 und Accra Nr. 20.

Verkündigung

30. Die Eucharistie ist als Ganzes, also nicht nur in Lesung und Predigt, Verkündigung der Größe und des Erbarmens Gottes. Dabei kommt den einzelnen Elementen ihrer Natur gemäß jeweils besondere Bedeutung zu:

Das Sündenbekenntnis der versammelten Gemeinde umschließt immer auch das öffentlich bekundete Ja zur Versöhnungstat Gottes.

Lesung und Auslegung der Heiligen Schrift lassen das Wort Gottes selbst in die je neue Situation hinein sprechen und so wirksam werden. Das Zeugnis der Heiligen Schrift wie die Predigt von den großen Taten Gottes rufen das Bekenntnis des Glaubens nicht nur hervor: sie sind selber schon eine Funktion dieses Bekenntnisses.

Das Beten der frühchristlichen Glaubensbekenntnisse bekundet sowohl die Verbindung mit der alten Kirche wie mit allen, die gleicherweise zu ihnen stehen.

Brot und Wein, „Frucht der Erde und der menschlichen Arbeit“[19], sind zuerst Gaben des Vaters und Inbegriff seiner guten Schöpfung. Das Geschehen das sie erfaßt, ist ein eindrucksvoller Hinweis auf das erhaltende Schaffen, das die Dinge in jedem Augenblick trägt und ihrer Vollendung entgegenführt.

Vor allem wird in jedem eucharistischen Mahl die am Kreuz der ganzen Welt erwiesene Liebe Gottes bezeugt, der seinen Sohn für die Welt hingegeben hat (vgl. Joh 3,16): „Denn so oft ihr dieses Brot eßt und diesen Kelch trinkt, verkündet ihr den Tod des Herrn, bis er kommt“ (1 Kor 11,26).

Dank

31. Ihrem Wesen nach hängen Verkündigung und Danksagung eng zusammen. Entsprechend ist die Euchari-

[19] Ordo Missae, Gebet zur Gabenbereitung.

stie „die große Danksagung an den Vater für alles, was er in Schöpfung, Erlösung und Heiligung vollbracht hat, für alles, was er jetzt in der Kirche und in der Welt trotz der Sünden der Menschen vollbringt, und für alles, was er vollbringen wird, wenn er seine Königsherrschaft zur Erfüllung bringt. So ist die Eucharistie der Lobpreis (berakah), durch den die Kirche Gott für alle seine Wohltaten dankt"[20].

Die Danksagung an Gott, den Vater, den Schöpfer aller guten Gaben, findet in der Feier der Gemeinde nicht nur einen verbalen, sondern auch einen materiellen Ausdruck. Die Selbsthingabe Christi und die Verheißung des kommenden Reiches relativieren alle Reichtümer dieser Welt und machen uns Gott als den Geber und uns selbst als die Verwalter dieser Gaben bewußt. In der Darbringung des Brotes und des Weines loben wir Gott, der uns durch unsere Arbeit mit irdischen Gütern, die für unsere Lebenserhaltung nötig sind, versorgt. Wir bringen uns selbst dar (vgl. Röm 12,1) und teilen miteinander, was uns geschenkt wurde.

Fürbitte

32. Durch den Glauben an Gottes Wohltaten gestärkt, bringt die Gemeinde in derselben eucharistischen Feier ihre Fürbitte für alle Menschen, für die Nöte der Welt, für die Anliegen der Christgläubigen und der verantwortlichen Menschen in Kirche und Gesellschaft vor. So vereint sich die Kirche mit der Fürbitte ihres Herrn vor dem Angesicht des Vaters (vgl. Hebr 7,25) und tritt durch ihn für die verheißene Errettung der Welt ein, deren Vorgeschmack die Gemeinde durch ihren Glauben und ihre Hoffnung durch den Heiligen Geist erhalten hat. Daß dieses Vertrauen auf Gottes rettendes Handeln an der Welt in der Feier unserer Gemeinden wieder deutlicher zum

[20] Accra Nr. 6; vgl. Dombes I, Nr. 7.

Ausdruck kommt, erfreut uns und verpflichtet uns zur tätigen Solidarität mit allen Notleidenden[21].

Lobpreis

33. „Die Eucharistie ist das große Lobopfer, durch das die Kirche für die ganze Schöpfung spricht[22]." Durch den Sündenfall verstummte das Gott gebührende Lobopfer der Menschheit. In Christus ist es wieder aufgelebt. Die in Christus erneuerte Schöpfung singt ihren Lobgesang in der eucharistischen Gemeinde, besonders in der Präfation und in der Heiligpreisung Gottes (Sanctus). Sie wird befähigt, den Vater im Geist und in der Wahrheit anzubeten (vgl. Joh 4,23f.).

Hingabe

34. In seinem Leib, der für die Seinen hingegeben (Lk 22,19; 1 Kor 11,24), und in seinem Blut, das für sie vergossen wird (Mt 26,28; Mk 14,24; Lk 22,20), ist der Herr in seiner Hingabe gegenwärtig. Er ist unter uns als der vom Vater im Heiligen Geist Hingegebene und als der für den Vater und die Menschen im Heiligen Geist Sich-hingebende. So teilt er sich mit, so will er weiter wirken. Je mehr die feiernde Gemeinde in das Geschehen dieser Hingabe hineingenommen wird, desto mehr lebt sie zur größeren Ehre Gottes. Die Kirche, die den Tod des Herrn verkündet, ist aufgefordert, sich mit diesem zu verbinden. Sie soll nicht nur vom Opfer wissen und sprechen, sie soll sich von ihm erfassen lassen. Im Mitsterben mit ihrem Herrn soll sie bereitet werden für das Mitauferstehen.

35. Die Einigung, die Christus anbietet, betrifft auch das Wollen und Handeln der Seinen. „Das ist die Frucht im heiligen Abendmahl, daß du dich dahingibst mit allem

[21] Vgl. Dombes I, Nr. 27.
[22] Accra Nr. 7; Löwen S. 73.

deinem Leben, wie Christus in diesen Worten dir getan hat mit allem, was er ist"[23] (s. o. 18).

36. Wenn die Kirche dem Auftrag des Herrn: „Tut dies zu meinem Gedächtnis!" (Lk 22,19; 1 Kor 11,24f.) Folge leistet, kommt sie je neu mit dem Opfer Christi in Kontakt; sie empfängt neues Leben aus ihm und die Kraft, mitzusterben.
„Der Begriff des ‚Gedächtnisses' (Memorial), wie er in der Passah-Feier zur Zeit Christi verstanden wurde — d. h. die Wirksammachung eines vergangenen Ereignisses in der Gegenwart —, hat den Weg zu einem klareren Verständnis des Verhältnisses zwischen dem Opfer Christi und der Eucharistie eröffnet"[24] (s. o. 17).
In der *Gedächtnisfeier des Gottesvolkes* geschieht mehr, als daß man sich verflossene Ereignisse mit dem Erinnerungsvermögen und der Phantasie vergegenwärtigt. Das Entscheidende ist nicht, daß man sich Vergangenes ins Gedächtnis ruft, sondern daß der Herr sein Volk in seine Gegenwart ruft und mit seiner Heilstat konfrontiert. In diesem schöpferischen Handeln Gottes wird das Heilsgeschehen aus der Vergangenheit Heilsangebot für die Gegenwart und Heilszusage für die Zukunft.
Alle die zu seinem Gedächtnis Eucharistie feiern, werden in Christi Leben, Leiden, Sterben und Auferstehen einbezogen. Sie empfangen die Früchte des Lebensopfers Christi und damit des gesamten versöhnenden Heilshandelns Gottes. Im Passah-Mahl des Neuen Bundes werden sie befreit und mit Gott und untereinander geeint. So danken sie „für alle seine Gnadengaben, erbitten die Wohltaten seines Leidens für die ganze Kirche, haben an diesen Wohltaten Anteil und treten in die Bewegung seiner Selbsthingabe ein"[25].
Im gläubigen Empfangen werden sie als sein Leib in das

[23] M. Luther, Gründonnerstag 1524, WA 15, 498.
[24] Windsor Nr. 5.
[25] Windsor Nr. 5; vgl. Accra Nr. 8-10.

versöhnende Opfer hineingenommen, das sie zur Hingabe ihrer selbst ausrüstet (Röm 12,1) und sie befähigt, „durch Jesus Christus geistliche Opfer" (1 Petr 2,5) im Dienst an der Welt darzubringen. So kann im Herrenmahl eingeübt werden, was im ganzen Christenleben auszuüben ist. „Mit einem demütigen Herzen bringen wir uns selbst als ein lebendiges und heiliges Opfer dar, ein Opfer, das in unserem ganzen täglichen Leben Ausdruck finden muß[26]."

37. Übereinstimmend verstehen unsere beiden Traditionen die Eucharistie als *Opfer des Lobes.* Dieses ist weder bloß verbales Lob Gottes, noch ist es ein Zusatz oder eine Ergänzung, die Menschen aus eigener Kraft dem Lob- und Dankopfer hinzufügen, das Christus dem Vater dargebracht hat. Das eucharistische Opfer des Lobes ist durch das Kreuzesopfer Christi überhaupt erst möglich geworden; deshalb bleibt dieses selbst der primäre Inhalt des kirchlichen Lobopfers. Einzig „durch ihn, mit ihm und in ihm, der unser großer Hoherpriester und Fürsprecher ist, bringen wir dem Vater in der Kraft des Heiligen Geistes unseren Lobpreis, unsere Danksagung und unsere Fürbitte dar"[27] (s. u. 56-61).

VI. Für das Leben der Welt

38. Die Lebensbewegung Jesu zum Vater, in die er die Seinen hineinnimmt, soll allen zugute kommen. Das Brot, das Christus selber ist und gibt, ist „für das Leben der Welt" bestimmt (Joh 6,51).

Der Weltbezug der eucharistischen Feier

39. „Die Welt, die Gott in Christus mit sich selbst versöhnt hat, ist bei jeder Eucharistie anwesend: im Brot und

[26] USA I, I 1 b im Anschluß an Montreal 1963.
[27] USA I, I 1 b im Anschluß an Montreal 1963, vgl. auch Evang. Erwachsenenkatechismus 1115.

im Wein, in den Gläubigen und in den Gebeten, die diese für alle Menschen darbringen. So eröffnet die Eucharistie der Welt den Weg zu ihrer Verwandlung[28]." Sie enthüllt der Welt, was sie ist und was werden soll[29]. In der Vergangenheit verwurzelt, in der Gegenwart verwirklicht und auf die Zukunft ausgerichtet, konzentriert die Eucharistie alle Dimensionen des geschichtlichen Werdens in sich. Das zeigt ihre tiefe Verbundenheit mit unserer sich wandelnden Welt an; es trägt dazu bei, sie tiefer zu verstehen und verantwortlicher mitzugestalten.
In der eucharistischen Einheit bahnt sich die neue Einheit der Menschheit an. Christus ist als Haupt seiner Kirche das Haupt der gesamten erlösten Menschheit. Er schenkt der Kirche sein Leben, um es auf diese Weise allen zukommen zu lassen. „Wenn wir uns auf Einladung des einen Herrn an dem einen Tisch zu diesem Gemeinschaftsmahl versammeln und ‚an dem einen Brot teilhaben', sind wir eins in unserer Hingabe nicht nur an Christus und zueinander, sondern in unserer Hingabe an die Sendung der Kirche in der Welt[30]."

Die Weltverantwortung der Mitfeiernden

40. Nicht nur in diesem oder jenem Teil, sondern in ihrem ganzen Verlauf ist die Eucharistie auf das Heil der Welt hingeordnet. Entsprechend sind die Mitfeiernden in den Dienst an der Welt gerufen. Die Christusgemeinschaft befähigt und verpflichtet zum Einsatz für alle Menschen.

41. „Versöhnt in der Eucharistie, werden die Glieder des Leibes Christi zu Dienern der Versöhnung unter den Menschen und zu Zeugen der Freude der Auferstehung. Ihre Präsenz in der Welt schließt in sich die Solidarität im Leiden und in der Hoffnung mit allen Menschen, für die sie sich engagieren sollen, um die Liebe Christi im Dienst und

[28] Dombes I, Nr. 8. [29] Vgl. Accra Nr. 7. [30] Windsor Nr. 4.

im Kampf sichtbar werden zu lassen. Die Feier der Eucharistie, das Brechen eines lebensnotwendigen Brotes, spornt dazu an, den Lebensbedingungen der Menschen nicht zuzustimmen, welche des Brotes, der Gerechtigkeit und des Friedens beraubt sind[31]."

Dieser Einsatz ist besonders notwendig, wenn innerhalb der Kirche soziale, nationale oder rassische Trennungen auftreten (vgl. 1 Kor 11,18-30). Solche Mißstände können sich so verhängnisvoll auswirken wie Glaubensspaltungen. Sie stehen im Widerspruch zum Wesen der Kirche, sie lassen ihr Zeugnis unwirksam und ihre sakramentale Feier unwürdig werden. Auch bezüglich der Eucharistie gilt das Herrenwort: „Geh zuerst hin und versöhne dich mit deinem Bruder, und dann komm und opfere deine Gabe!" (Mt 5,24).

VII. Im Blick auf die künftige Herrlichkeit

42. In der Eucharistie verkünden wir „den Tod des Herrn, bis er wiederkommt" (1 Kor 11,26). In ihr wird die künftige Herrlichkeit verheißen sowie anfanghaft erschlossen und vermittelt.

Verheißung

43. Gestalt und Wirkung der Eucharistie sind eine Verheißung der ewigen Herrlichkeit, die uns zugedacht ist, und ein Hinweis auf den neuen Himmel und die neue Erde, denen wir entgegengehen; „deshalb richtet uns die Feier der Eucharistie auf die Ankunft des Herrn aus und bringt ihn uns nahe. Sie ist eine freudige Vorwegnahme des himmlischen Festmahles, wenn die Erlösung vollkommen vollendet und die gesamte Schöpfung von aller Knechtschaft befreit sein wird"[32]. „Selig sind, die zum Hochzeitsmahle des Lammes geladen sind" (Apk 19,9).

[31] Dombes I, Nr. 27.

[32] Dombes I, Nr. 29.

Erschließung

44. Das eucharistische Mahl läßt uns die künftige Herrlichkeit als das uneingeschränkte ewige Hochzeitsmahl erfassen, zu dem der Herr uns einlädt. Als Brudermahl, in dem Christus uns befreit und eint, lenkt es unseren Blick auf das verheißene ewige Reich uneingeschränkter Freiheit und Gerechtigkeit.
Die Mitfeier fordert das Miteinander von persönlichem Einsatz und gemeinschaftlichem Dienst. Darin liegt ein Hinweis auf die Erfüllung des persönlichen und des sozialen Lebens, die zur Herrlichkeit Gottes gehört, an der wir gnadenhaft Anteil gewinnen dürfen.

Vermittlung

45. Geheimnisvollerweise beginnt die verheißene Zukunft bereits jetzt im Herrenmahl. Wer das Brot des Lebens empfängt, der hat ewiges Leben (Joh 6,54). Nicht irgendwann einmal, sondern sofort wird er hineingenommen in die große Zukunft, die der Herr uns eröffnet. Das ewige Leben beginnt nicht demnächst, es ist da in dem, der sich mit dem Herrn verbindet. Die künftige Welt bricht jetzt schon in unsere gegenwärtige ein.
„So gibt der Herr der Kirche mit der Gabe der Eucharistie zugleich die Möglichkeit, in der Schwachheit, in der sie bis ans Ende in Leiden und Kämpfen leben wird, Mut zu schöpfen und durchzuhalten“[33]; er schenkt ihr die Kraft, sich unermüdlich für die Erneuerung des Lebens und der Strukturen dieser Welt einzusetzen. Das den Glaubenden verheißene, erschlossene und vermittelte Leben der kommenden Welt soll und muß schon in dieser Welt wirksam werden.

[33] Dombes I, Nr. 30.

II. TEIL
GEMEINSAME AUFGABEN

46. Das gemeinsame Zeugnis über das Herrenmahl konfrontiert uns mit Aufgaben, die wir — soweit wie möglich — gemeinsam angehen sollten.
(I) Wir müssen Rechenschaft darüber ablegen, inwieweit die Probleme, die einst die Glaubens- und Eucharistiegemeinschaft zerbrochen haben, inzwischen geklärt und bewältigt werden konnten und inwieweit sie noch einer vollen Gemeinschaft entgegenstehen.
(II) Die konkrete liturgische Gestaltung der Eucharistiefeier in unseren Gemeinden muß dem entsprechen, was wir glaubend bekennen.
(III) Das Glaubenszeugnis darf sich weder auf den theoretischen noch auf den individuellen Bereich beschränken; möglichst viele Glieder des Gottesvolkes sollten es sich zu eigen machen und lebendig weitergeben (Rezeption).

I. Überwindung gegensätzlicher Positionen

47. Die gemeinsamen Erkenntnisse und Überzeugungen erfüllen uns mit Hoffnung: vieles von dem, was früher entzweite, ist von beiden Seiten her behoben worden, und noch verbleibende Differenzen befinden sich innerhalb eines Bereiches der Gemeinsamkeit. Gegensätzliche Positionen, die der vollen Glaubens- und Eucharistiegemeinschaft entgegenstehen, müssen erkannt, markiert und gezielt angegangen werden, um das Trennende zu erkennen und zu überwinden.

Eucharistische Gegenwart

48. Gemeinsam bekennen katholische und lutherische Christen die wahre und wirkliche Gegenwart des Herrn in der Eucharistie. Unterschiede bestehen in den theologi-

schen Aussagen über die Weise der Realpräsenz und hinsichtlich ihrer Dauer.

49. Um die *Wirklichkeit* der eucharistischen Gegenwart unverkürzt zu bekennen, lehrt die katholische Kirche, daß der „ganze und unversehrte Christus“[34] gegenwärtig wird durch die Umwandlung des ganzen Wesensbestandes (Substanz) des Brotes und des Weines in den Wesensbestand (Substanz) des Leibes und Blutes Christi, während die uns zugänglichen Erscheinungsformen (Akzidentien) von Brot und Wein unverändert weiterbestehen. Diese „wunderbare und einzigartige Wandlung nennt die katholische Kirche sehr treffend Wesensverwandlung (Transsubstantiation)“[35]. Weithin hat man diese Terminologie lutherischerseits als einen Versuch verstanden, das Geheimnis der Gegenwart Christi im Sakrament rationalistisch zu erklären; manche meinen auch, auf solche Weise würde der gegenwärtige Herr nicht personhaft gesehen und ein naturalistisches Mißverständnis nahegelegt.

50. Lutherischerseits hat man die Wirklichkeit der eucharistischen Gegenwart dadurch zum Ausdruck gebracht, daß man von einer Gegenwart des Leibes und Blutes Christi in, mit und unter Brot und Wein — nicht aber von einer Transsubstantiation — gesprochen hat. Man sieht hier eine wesenhafte Analogie zur Menschwerdung des Herrn: Wie sich in Jesus Christus Gott und Mensch zu einer Einheit verbinden, so entsteht aus Christi Leib und Blut einerseits und Brot und Wein andererseits eine sakramentale Einheit. Katholiken wiederum finden diese Einheit wie auch die Wirkmacht des Herrenwortes: „Das ist mein Leib“, auf diese Weise nicht hinreichend bezeugt.

[34] Konzil von Trient, DS 1641.
[35] Konzil von Trient, DS 1652.

51. Die ökumenische Diskussion hat gezeigt, daß diese beiden Positionen nicht mehr als trennende Gegensätze betrachtet werden müssen. Die lutherische Tradition bejaht mit der katholischen Tradition, daß die konsekrierten Elemente nicht schlechthin Brot und Wein bleiben, sondern kraft des schöpferischen Wortes als Leib und Blut Christi geschenkt werden. In diesem Sinne konnte auch sie gelegentlich mit der griechischen Tradition von einer „Wandlung" sprechen[36]. Die Begrifflichkeit der Transsubstantiation will ihrerseits den Geheimnischarakter der eucharistischen Gegenwart bekennen und bewahren; sie will nicht erklären, *wie* diese Wandlung stattfindet[37] (siehe den Exkurs über „Die Gegenwart Christi in der Eucharistie").

52. Hinsichtlich der *Dauer* der eucharistischen Gegenwart treten die Unterschiede auch in der liturgischen Praxis zutage.
Gemeinsam bekennen katholische und lutherische Christen, daß die eucharistische Gegenwart des Herrn Jesus Christus auf den gläubigen Empfang ausgerichtet ist, daß sie gleichwohl nicht nur auf den Augenblick des Empfanges beschränkt ist und daß sie ebenso nicht vom Glauben des Empfangenden abhängt, so sehr sie auf diesen hingeordnet ist.

53. Nach katholischer Lehre schenkt der Herr seine eucharistische Gegenwart über den Vollzug des Sakramentes hinaus, solange die Gestalten von Brot und Wein bestehen. Entsprechend werden die Gläubigen eingeladen, „diesem heiligsten Sakrament bei der Verehrung die Huldigung der Anbetung zu erweisen, die man dem wahren Gott schuldet"[38].

54. Lutherischerseits hat man an gewissen Formen der eucharistischen Frömmigkeit, die mit dieser Überzeugung

[36] Siehe Apologia Confessionis X, 2; vgl. auch USA I, II 2 C.
[37] Windsor Nr. 6, Anm. 2.
[38] Konzil von Trient, DS 1643.

zusammenhängen, nicht selten Anstoß genommen. Man wertet sie als unzulässige Trennung vom Mahlgeschehen. Wiederum verletzt mancher lutherischerseits praktizierte Umgang mit den übrigbleibenden Elementen das katholische Empfinden und signalisiert eine noch nicht bewältigte Diskrepanz (vgl. den Exkurs „Die Gegenwart Christi in der Eucharistie" 2).

55. Um hier Abhilfe zu schaffen, möge man „auf katholischer Seite, insbesondere in Katechese und Predigt, beachten, daß die ursprüngliche Intention der Aufbewahrung der eucharistischen Gaben darin besteht, daß sie an die Kranken und Abwesenden verteilt werden"; auf lutherischer Seite sollte man „den bestmöglichen Modus ins Werk setzen, um den eucharistischen Elementen den Respekt zu bezeugen, der ihnen geschuldet wird, d. h., man möge sie für den späteren Empfang aufbewahren einschließlich der Verwendung für die Krankenkommunion"[39].
Was die eucharistische Anbetung betrifft, sollten die Katholiken darauf achten, daß ihre Praxis nicht der gemeinsamen Überzeugung vom Mahl-Charakter der Eucharistie widerspricht. Sie sollten sich auch dessen bewußt sein, daß es z. B. in den orthodoxen Kirchen andere Formen der eucharistischen Frömmigkeit gibt, ohne daß deshalb deren eucharistischer Glaube in Frage gestellt wird. Lutheraner sollten ihrerseits bedenken, „daß die Anbetung des reservierten Sakramentes" nicht nur „in hohem Maße ein Teil katholischen Lebens und eine bedeutsame Form der Frömmigkeitspraxis für viele Jahrhunderte gewesen ist"[40], sondern daß auch für sie „Gottesdienst, Verehrung und Anbetung so lange angemessen sind, wie Christus sakramental gegenwärtig bleibt"[41].

[39] Dombes I, Nr. 20; vgl. Accra Nr. 35 und die Stellungnahme des Instituts für Ökumenische Forschung Straßburg „Eucharistische Gastbereitschaft" Nr. 27 g.

[40] USA I, II 2 a f, bes. Anm. 29.

[41] USA I, II 2 A c; vgl. M. Luther, Vom Anbeten des Sakraments des heiligen Leichnams Christi, 1523 (WA 11,431-456).

Eucharistisches Opfer

56. Gemeinsam bekennen katholische und lutherische Christen, daß Jesus Christus im Herrenmahl „als der Gekreuzigte gegenwärtig ist, der für unsere Sünden gestorben und für unsere Rechtfertigung wieder auferstanden ist, als das Opfer, das ein für allemal für die Sünden der Welt dargebracht wurde“[42]. Dieses Opfer kann weder fortgesetzt noch wiederholt, noch ersetzt, noch ergänzt werden; wohl aber kann und soll es je neu in der Mitte der Gemeinde wirksam werden. Über Art und Maß dieser Wirkung gibt es unter uns unterschiedliche Deutungen.

57. Nach *katholischer Lehre* wird in jeder Eucharistie durch Christus „ein wirkliches und eigentliches Opfer dargebracht“[43]. „Dieses Opfer ist ein wirkliches Sühnopfer, und es bewirkt, daß wir ‚Barmherzigkeit erlangen und Gnade finden zu rechtzeitiger Hilfe‘ (Hebr 4,16) . . . Es ist ein und dieselbe Opfergabe und es ist derselbe, der jetzt durch den Dienst der Priester opfert und der sich selbst damals am Kreuz darbrachte, nur die Art der Darbringung ist verschieden . . . Es wird deshalb nicht nur für die Sünden der lebenden Gläubigen, für ihre Strafen, ihre Genugtuungen und für andere Nöte, sondern auch für die in Christus Verstorbenen, die noch nicht vollkommen gereinigt sind, mit Recht nach der Überlieferung der Apostel dargebracht[44].“

58. Als Glieder seines Leibes werden die Gläubigen in das Opfer Christi einbezogen. Das geschieht in unterschiedlichen Weisen; keine von ihnen wird von außen dem Opfer Christi hinzugefügt, sondern jede kommt von ihm her und weist auf es hin:

[42] USA I, I 1 a.
[43] Konzil von Trient, DS 1751.
[44] Konzil von Trient, DS 1743.

Zum eucharistischen Opfer gehört das liturgische Bereiten des Herrenmahls mit dem Darbringen von Brot und Wein. Vor allem ist der innere Mitvollzug erforderlich, das Erkennen und Bekennen der eigenen Ohnmacht und der totalen Angewiesenheit auf die Hilfe des Herrn, der Gehorsam seinem Auftrag gegenüber, der Glaube an sein Wort und seine Verheißung.

In der eucharistischen Vergegenwärtigung des geopferten und sich opfernden Herrn können die von ihm Erlösten im besten Sinne opfern. Sie bringen dem himmlischen Vater eine Gabe dar, die keinerlei Selbstgefälligkeit und Selbstgerechtigkeit aufkommen läßt. Sie ist ganz und gar freie, ungeschuldete Gabe der Liebe Gottes, in keiner Weise von den Menschen verdient; sie ist zugleich mit den Menschen zutiefst verbunden, mehr als dies bei irgendeiner Sache, die sonst geopfert werden könnte, der Fall sein kann: Christus ist ganz der unsere geworden; er ist unser Haupt. Aus uns haben wir nichts und vermögen wir nichts. Deshalb weisen wir nicht auf uns, sondern auf ihn. Aus uns heraus können wir Gott nicht Lob, Preis und Ehre darbringen, wir bringen Christus dar; er ist Lob, Preis und Ehre. Dieses die eigene Ohnmacht bekundende, sich ganz auf Christus verlassende und ihn dem Vater vorstellende und darbringende Handeln ist gemeint, wenn die katholische Kirche zu sagen wagt, daß nicht nur Christus sich für die Menschen opfert, sondern daß auch sie ihn „opfert“. „Die Glieder des Leibes Christi sind durch Christus so mit Gott und miteinander vereint, daß sie Teilhaber werden an seiner Anbetung, seiner Selbsthingabe, seinem Opfer für den Vater. Durch dieses Einswerden zwischen Christus und den Christen bringt die Abendmahlsgemeinde Christus dar, indem sie einwilligt, in der Kraft des Heiligen Geistes durch ihn dem Vater dargebracht zu werden. Außer Christus haben wir keine Gaben, keine Anbetung, kein Opfer, das wir von uns aus Gott darbringen könnten. Wir können nichts anderes vorbringen als Christus, das Opferlamm und Opfer, das der Vater uns selbst gegeben hat[45]."

59. *Evangelischerseits* hat man befürchtet, das Verständnis der Eucharistie als Sühnopfer sei der Einzigkeit und Vollgenügsamkeit des Kreuzesopfers zuwider und stelle die alleinige Heilsmittlerschaft Christi in Frage (vgl. den Exkurs „Die Messe als Sühnopfer"). Nach Auffassung der lutherischen Reformation ist die Feier des Herrenmahls ganz darauf ausgerichtet, daß die Gabe des gegenwärtigen Kreuzesopfers als wirksames Heilsmittel an die versammelte Gemeinde ausgeteilt und von ihr im Glauben empfangen wird. Man nahm Anstoß daran, daß in der Praxis die Kommunion der Gemeinde zurücktrat. Den primären Grund dafür sah man in dem Gedanken von der Messe als einem Sühnopfer. Man meinte, damit würde einer Vorstellung Raum gegeben, die vom gläubigen Empfang der eucharistischen Gnade dispensiere und dem Priester eine selbstmächtige Opferkraft zuspreche (vgl. die reformatorische Polemik gegen die Messe als Werk ex opere operato). Deshalb vermeidet die lutherische Tradition bis heute jede Rede vom „Meßopfer".

60. Hingegen bejahte die lutherische Reformation die Deutung des Herrenmahls als Dankopfer für das im Sakrament gegenwärtige Kreuzesopfer. Dieses Dankopfer ist Ausdruck des Glaubens und geschieht in der Weise, „daß wir mit Christus opfern, das ist, daß wir uns auf Christus legen mit einem festen Glauben an sein Testament und nicht anders mit unserem Gebet, Lob und Opfer vor Gott erscheinen, als durch ihn und seine (Heils-)Mittel und nicht daran zweifeln, er sei unser Pfarrer und Pfaff (d. h. Priester) im Himmel vor Gottes Angesicht"[46]. Das

[45] USA I, I 2 b.

[46] M. Luther, in: Ein Sermon von dem neuen Testament, das ist die heilige Messe, 1520, in: WA 6,369, 5-9; siehe dazu weiter USA I, I 2 b Anm. 6.

so verstandene „eucharistische Opfer“[47], das von den Versöhnten im Glauben vollzogen wird, äußert sich in Dank und Lob, in Anrufung und Bekenntnis Gottes, im Leiden und in allen guten Werken der Gläubigen. Dies sind die Opfer, die in der reformatorischen Lehre im Anschluß an 1 Petr 2,5 und Röm 12,1 besonders betont werden[48].

61. Im ökumenischen Gespräch haben wir gelernt, die Auffassungen des anderen besser zu verstehen. Dabei haben sich besonders die Erforschung des historischen Hintergrundes der reformatorischen Polemik sowie die Beachtung der neuen Entwicklung in beiden Kirchen als hilfreich erwiesen. Zunehmend erkennen wir die Auffassungen des anderen als eine Anfrage an unsere eigene Position und als eine Hilfe, diese zu verbessern, zu vertiefen und zu verlebendigen.

Mit Dank können wir eine wachsende Konvergenz in vielen Fragen feststellen, die bislang unser Gespräch besonders stark belastet haben:

a) Nach katholischer Lehre ist das Meßopfer die Gegenwärtigsetzung des Kreuzesopfers. Es wiederholt dieses nicht und fügt seiner Heilsbedeutung nichts hinzu. In diesem Sinne ist es eine Bezeugung und keine Infragestellung der Einzigartigkeit und Vollgenügsamkeit des Kreuzesopfers Christi.

b) Nach katholischer Lehre soll das ex opere operato im Zusammenhang der Sakramentenlehre die Priorität des Handelns Gottes bezeugen. Diese Priorität zu betonen ist auch lutherisches Anliegen.

c) Ein solches Verständnis von opus operatum schließt die gläubige Anteilnahme des einzelnen wie der ganzen feiernden Gemeinde nicht aus: das Handeln Gottes ermöglicht und fordert sie.

[47] „Sacrificia eucharistica“: Apologie der CA XXIV, 25.
[48] Vgl. bes. Apologie der CA XXIV, 19-26.

d) Ebensowenig wird die Bedeutung der gläubigen Mitfeier durch die Überzeugung beeinträchtigt, daß die Früchte der Eucharistie über den Kreis der Feiernden hinausreichen. Daß Christus sein Fleisch und Blut denen schenkt, die ihn in der Eucharistie gläubig empfangen, kann nicht übertragen werden; wohl aber dürfen wir hoffen, daß er seine Hilfe anderen zuteil werden läßt. Ob und wie das geschieht, ist ganz Sache der souveränen Liebe des Herrn. Auch Fürbitten und Meßintentionen für bestimmte Personen — lebende wie verstorbene — wollen seine Freiheit nicht einengen.
Diese Einsichten geben uns die Zuversicht, auch die noch offenen Fragen klären zu können.

Eucharistische Kommunion

62. Gemeinsam bekennen katholische und lutherische Christen, daß in der Eucharistie Leib und Blut des Herrn real empfangen werden, sei es zum Heil, sei es zum Verderben (vgl. 1 Kor 11,27-29). Sie bekennen, daß der gläubige Empfang des eucharistischen Brotes und Weines die persönliche Vereinigung mit Jesus Christus, unserem Herrn und Heiland, schenkt. Es besteht auch Übereinstimmung darin, daß die Wirksamkeit des vom Gläubigen empfangenen Herrn nicht mit menschlichen Maßstäben gemessen werden kann, sondern in den Bereich des freien und unverfügbaren Handelns Gottes gehört.

63. Gemeinsam sind Lutheraner und Katholiken der Überzeugung, daß die Eucharistie wesenhaft Gemeinschaftsmahl ist. Nach evangelischem Verständnis ist die Kommunion der Gemeinde unabdingbarer Teil der Feier der Eucharistie nach der Stiftung des Herrn. Deshalb wird in den Messen ohne Beteiligung des Volkes (mißverständlich und theologisch unzulässig als „Privatmessen“ bezeichnet) ein Brauch gesehen, der weder der Stiftung des Herrn noch der Praxis der alten Kirche entspricht. Inzwischen

hat sich in der liturgischen Praxis der katholischen Kirche seit dem II. Vatikanischen Konzil ein bedeutsamer Wandel vollzogen zum Vorrang „der gemeinschaftlichen Feier mit Beteiligung und tätiger Teilnahme der Gläubigen — wobei bestehen bleibt, daß die Messe in jedem Fall öffentlichen und sozialen Charakter hat“[49]. Dieser Vorrang der gemeinschaftlichen Feier bedeutet eine wichtige Annäherung unserer eucharistischen Praxis (vgl. den Exkurs „Die Eucharistie als Gemeinschaftsmahl“).

64. Katholiken und Lutheraner sind gemeinsam der Überzeugung, daß zur Vollgestalt der Eucharistie Brot und Wein gehören. In der katholischen Eucharistiefeier wird den Gläubigen bei der Kommunion zumeist lediglich die Gestalt des Brotes gereicht. Dies geschieht vornehmlich aus praktischen Gründen und beruht auf der Überzeugung von der vollen Gegenwart Christi in jeder der beiden Gestalten, so daß der Empfang nur einer Gestalt keine Minderung der Wirkung bedeutet. Die Reformatoren sehen dagegen die stiftungsgemäße Vollkommenheit und Ganzheit des sakramentalen Zeichens gemäß den Einsetzungsworten Christi nur dort gewahrt, wo alle auch den Kelch empfangen. Gleichwohl verneint die lutherische Lehre nicht, daß Christus unter jeder der beiden Gestalten ganz gegenwärtig ist, und die lutherische Praxis kennt zwingende pastorale Fälle, in denen das Abendmahl auch unter einer Gestalt empfangen werden kann (vgl. den Exkurs „Die Eucharistie als Gemeinschaftsmahl“).
Die Möglichkeiten zum Empfang der Eucharistie unter beiderlei Gestalt sind im II. Vatikanischen Konzil erheblich erweitert worden, sowohl in bezug auf die Anlässe wie auch auf die Kommunikanten. Wenn hier auch weiterhin Unterschiede in Lehre und Praxis bestehen, so haben diese keinen kirchentrennenden Charakter mehr.

[49] Vatikanum II, Liturgiekonstitution Nr. 27; vgl. auch das Konzil von Trient, DS 1747.

Eucharistisches Dienstamt

65. Katholische und lutherische Christen sind der Überzeugung, daß zur Eucharistie die Leitung des kirchlicherseits dazu bestellten Dieners gehört.

66. Nach katholischer Lehre steht jede rechtmäßige Eucharistiefeier „unter der Leitung des Bischofs, dem die Pflicht übertragen ist, den christlichen Gottesdienst der göttlichen Majestät darzubringen und zu betreuen gemäß den Geboten des Herrn und den Gesetzen der Kirche“[50]. „Nur jene Eucharistie gilt als gesetzmäßig, die unter dem Bischof vollzogen wird oder durch den von ihm Beauftragten[51].“ Entsprechend ist die Ordination zum Bischof bzw. zum Priester die unerläßliche Vorbedingung für den Vorsitz beim Herrenmahl; daher gibt es auch im Ausnahmefall keine Eucharistiefeier ohne einen ordinierten Priester. Soweit das Sakrament der Ordination fehlt, sieht die katholische Kirche somit bei den von ihr Getrennten „die ursprüngliche und vollständige Wesenheit (substantia) des eucharistischen Mysteriums nicht bewahrt“[52].

67. Auch nach lutherischer Lehre wird der eucharistische Gottesdienst vom ordinierten Pfarrer geleitet[53]. „Aufgabe des Amtes (ist es), das Evangelium zu verkündigen und die Sakramente dem Evangelium gemäß zu verwalten, so daß dadurch der Glaube geweckt und gestärkt wird[54].“ Nach lutherischem Verständnis ist das kirchliche Amt eine göttliche Stiftung, obwohl die Ordination üblicherweise nicht als Sakrament bezeichnet wird[55].

68. Der Dialog zwischen unseren beiden Traditionen hat in der Frage des Amtes bereits beachtliche Konvergenzen

[50] Vatikanum II, Kirchenkonstitution Nr. 26.
[51] Ignatius v. Antiochien, Ad Smyrn. 8,1: PG 5, 713.
[52] Vatikanum II, Ökumenismusdekret Nr. 22.
[53] Confessio Augustana XIV.
[54] Malta Nr. 61.
[55] USA II, 16; Malta Nr. 59.

feststellen können. Sie betreffen das Verständnis von Grund und Funktion des Amtes sowie die Weise der Amtsübertragung durch Handauflegung und unter Anrufung des Heiligen Geistes[56]. Aufgrund dieser Feststellungen wurde die Möglichkeit einer gegenseitigen Anerkennung der kirchlichen Ämter „zur ernsthaften Prüfung" vorgeschlagen[57]. Bei der Durchführung dieser Empfehlung ist u. a. zu fragen, wie von lutherischen Kirchen eine ohne ordinierten Amtsträger vollzogene Eucharistie betrachtet wird. Ferner ist zu fragen, wie — angesichts der lutherischen Auffassung und Praxis von Ordination — die katholische Kirche die in der lutherischen Kirche gefeierte Eucharistie wertet. Insgesamt ist zu klären, wie der Stellenwert und die ekklesiologische Einordnung des Amtes zu sehen ist und welche Konsequenzen das für die Struktur der Kirche hat.

Eucharistische Gemeinschaft

69. Gemeinsam bekennen katholische und lutherische Christen, daß Jesus Christus alle, die mit ihm verbunden sind, auch untereinander verbindet.

70. Nach katholischer Überzeugung gilt das auch für die eucharistische Gemeinschaft mit Christus. Deshalb zählen zu ihr auch diejenigen, die im Frieden des Herrn entschlafen sind. Daher gehört zur katholischen Eucharistiefeier das fürbittende Gedenken der Verstorbenen. Die katholische Kirche gedenkt auch jener Verstorbenen, die der himmlischen Seligkeit teilhaft geworden sind. Sie dankt Gott für die Gnade, die ihnen gewährt worden ist, und empfiehlt sich deren Fürbitte und Schutz.

71. Auch die lutherische Eucharistiefeier bringt die Gemeinschaft der himmlischen und der irdischen Gemeinde im Lobgesang und in der Fürbitte zum Ausdruck. Die

[56] Vgl. Malta Nr. 59. [57] Malta Nr. 63-64.

Reformation hat zwar die Anrufung der Heiligen abgelehnt, aber die Fürbitte der Heiligen im Himmel nicht bestritten[58]. Eine lehrmäßige Zurückhaltung bezüglich des Schicksals der Verstorbenen läßt sie auch im fürbittenden Gedenken für die Verstorbenen zurückhaltend sein.

72. Die eucharistische Gemeinschaft fordert und fördert nach katholischer Lehre die konkrete Glaubensgemeinschaft der Kirche. Sie umfaßt ihrem Wesen nach

„— die von Christus seinen Aposteln und ihren Nachfolgern, den Bischöfen mit den Priestern, übertragene Dienstvollmacht, seine priesterliche Tat sakramental zu vergegenwärtigen, durch die er sich ein für allemal seinem Vater im Heiligen Geist dargebracht und seinen Gläubigen dahingegeben hat, damit sie eins seien in ihm;

— die Einheit dieses Dienstamtes, das im Namen Christi, des Hauptes der Kirche, und damit in der hierarchischen Gemeinschaft der Diener dieses Amtes ausgeübt werden muß;

— den Glauben der Kirche, den sie in der eucharistischen Handlung bekennt und durch den sie im Heiligen Geist auf das Geschenk Christi, so wie es in Wahrheit ist, antwortet“[59].

Daher darf nach Ansicht des II. Vatikanischen Konzils „die Gemeinschaft beim Gottesdienst (communicatio in sacris) nicht als ein allgemein und ohne Unterscheidung (indiscretim) gültiges Mittel zur Wiederherstellung der Einheit der Christen“ angesehen werden[60]. Deshalb ist zwar eine gemeinsame Feier von Katholiken und Lutheranern untersagt, jedoch kann zur katholischen Eucharistiefeier „wegen ausreichender Gründe“ (propter rationes sufficientes) der Zutritt gestattet werden[61].

[58] Schmalkaldische Artikel II, 2.
[59] Instruktion des Einheitssekretariates vom 1. Juni 1972, Nr. 2 a.
[60] Vatikanum II, Ökumenismusdekret Nr. 8.
[61] Ökumenisches Direktorium des Einheitssekretariates I, Nr. 55.

73. Auch die lutherische Kirche weiß um die Verbundenheit von Eucharistie- und Kirchengemeinschaft. Gleichwohl erkennt sie auch im jetzigen Zustand der Kirchenspaltung etliche Möglichkeiten der Abendmahlsgemeinschaft. Sie vermag gemäß ihren Kriterien die Gültigkeit der Eucharistiefeier anderer eher anzuerkennen, als die katholische Kirche dies tut. „Aufgrund der festgestellten Gemeinsamkeiten im Evangeliumsverständnis, das für die Verkündigung, Sakramenteverwaltung und liturgische Praxis entscheidende Wirkungen hat, meinen die Lutheraner, daß schon jetzt gelegentliche Kanzelgemeinschaft und gelegentliche gemeinsame eucharistische Feiern befürwortet werden können ... Lutherischerseits betont man, daß die Abendmahlspraxis der getrennten Kirchen sich daran orientieren muß, was der Dienst der Versöhnung an den Menschen von der Kirche fordert ... Eine Abendmahlsfeier, an der glaubende Getaufte nicht teilnehmen dürfen, leidet an einem inneren Widerspruch und erfüllt deshalb schon in ihrem Ansatz die ihr vom Herrn gestellte Aufgabe nicht[62]."

II. Liturgische Gestaltung

74. Die glaubend bejahte Wahrheit über das Herrenmahl muß Gehalt und Gestalt des liturgischen Tuns bestimmen. Dieser uns gemeinsam auferlegten Pflicht können und müssen wir uns auf weite Strecken miteinander stellen; zugleich ergeben sich in den unterschiedlichen Gemeinden, Zeiten und Traditionen jeweils verschiedene Aufgaben und Ansatzpunkte.

75. „Der beste Weg zur Einheit in der eucharistischen Feier und Gemeinschaft ist die Erneuerung der Eucharistie selbst in den verschiedenen Kirchen in bezug auf Lehre und Liturgie[63]." Auch in der Eucharistie sind es die

[62] Malta Nr. 64 und 72. [63] Accra Nr. 31.

Schritte zur Mitte, die uns einander näher bringen. Dazu gehört, „daß die Gläubigen mit recht bereiteter Seele zur heiligen Liturgie hinzutreten, daß ihr Herz mit der Stimme zusammenklinge und daß sie mit der himmlischen Gnade zusammenwirken, um sie nicht vergeblich zu empfangen“[64].

Immer muß die geforderte Erneuerung zweierlei anzielen: zuerst den Herrn, sein Wort und seinen Willen; sodann die Zeitgenossen mit ihren Schwierigkeiten und ihren Möglichkeiten: die „kleine Herde“ der Mitglaubenden ebenso wie die unermeßliche Schar aller Mitmenschen, für deren Heil die Eucharistie bestimmt ist.

Das gemeinsame Zeugnis des eucharistischen Glaubens und der gemeinsame Versuch, diesem im Leben gerecht zu werden, haben nichts mit Uniformität zu tun. Wie in der Theologie und in der Frömmigkeit gibt es in der liturgischen Gestaltung eine *Vielfalt von Möglichkeiten.* Sie können und sollen einander erhellen und ergänzen. Wie vom kirchlichen Leben insgesamt gilt auch von den liturgischen Formen: „So geben alle in der Verschiedenheit Zeugnis von der wunderbaren Einheit im Leibe Christi: denn gerade die Vielfalt der Gnadengaben, Dienstleistungen und Tätigkeiten vereint die Kinder Gottes, weil ‚dies alles der eine und gleiche Geist wirkt‘ (1 Kor 12,11)[65].“

76. Ohne diese Verschiedenheit zu beeinträchtigen, ist eine größere *Gemeinsamkeit in einigen Grundvollzügen* anzustreben.

Nach gemeinsamer Überzeugung bildet die eucharistische Feier ein Ganzes, das eine Anzahl konstitutiver Elemente umschließt. Dazu gehören: die Verkündigung des Wortes Gottes, die Danksagung für die Werke Gottes in Schöpfung und Erlösung mit dem Gedächtnis des Todes und der Auferstehung Christi, die Einsetzungsworte nach dem

[64] Vatikanum II, Liturgiekonstitution Nr. 11.
[65] Vatikanum II, Kirchenkonstitution Nr. 32.

Zeugnis des Neuen Testaments, die Herabrufung des Heiligen Geistes auf Brot und Wein und auf die Gemeinschaft, die Fürbitte für Kirche und Welt, das Gebet des Herrn und das Essen und Trinken in Gemeinschaft mit Christus und jedem Glied der Kirche[66].

Diesen gemeinsam bejahten Grundvollzügen sollte die liturgische Praxis entsprechen. Mit diesen uns gemeinsam herausfordernden Aufgaben sind weitere verbunden, die unseren Kirchen auf je besondere Weise gestellt sind.

Nach lutherischer Überzeugung ist katholischerseits anzustreben:

1. die Vermeidung der Meßfeier ohne Beteiligung des Volkes;
2. die bessere Verwirklichung der Verkündigung innerhalb jeder Eucharistiefeier;
3. die Spendung der heiligen Kommunion unter beiderlei Gestalten.

Nach katholischer Überzeugung ist lutherischerseits anzustreben:

1. der häufigere Vollzug des Abendmahls („Da die Eucharistie der neue liturgische Dienst ist, den Christus der Kirche gegeben hat, erscheint es normal, daß sie nicht weniger häufig als jeden Sonntag oder einmal in der Woche gefeiert werden sollte"[67]);
2. eine größere Beteiligung der gesamten Gemeinde (insbesondere der Kinder);
3. eine engere Verbindung von Wort- und Sakramentsgottesdienst.

Es sollte nicht übersehen werden, daß die damit angesprochenen unterschiedlichen Praktiken zum Teil mit noch nicht behobenen Unterschieden des Glaubensverständnisses zusammenhängen. Ihre Klärung und Überwindung ist uns gemeinsam auferlegt.

[66] Vgl. Accra Nr. 28.

[67] Accra Nr. 33.

III. Rezeption

77. Eine theologische Lehre bleibt eine Theorie einzelner, solange sie nicht vom ganzen Volk Gottes bejaht und mitgetragen wird. Selbst konziliare Aussagen kommen erst voll zur Wirkung, wenn sie im Leben und Denken der Gläubigen Gestalt annehmen. Entsprechend ist es unerläßlich, daß unser gemeinsames Zeugnis über das Herrenmahl von unseren Mitchristen beantwortet und mitverantwortet wird. Wir wenden uns deshalb an sie mit der Bitte, unsere Überlegungen zu prüfen und zu bedenken, sie soweit wie nötig zu verbessern und sie sich soweit wie möglich zu eigen zu machen.

Dieses Dokument ist von allen Mitgliedern der Gemeinsamen Kommission unterzeichnet worden:

Römisch-katholische Mitglieder:

Bischof H. L. Martensen (Vorsitzender)
Prof. J. Hoffmann
The Rev. J. F. Hotchkin
Prof. Dr. St. Napiorkowski
Akademischer Rat Dr. Vinzenz Pfnür
Weihbischof Prof. Dr. P.-W. Scheele

Evangelisch-lutherische Mitglieder:

Prof. Dr. G. A. Lindbeck (Vorsitzender)
Landesbischof D. H. Dietzfelbinger
Pfarrer Dr. K. Hafenscher
Drs. P. Nasution
Dozent Dr. L. Thunberg
Prof. Dr. Bertoldo Weber

Die Sekretäre der Gemeinsamen Kommission sind:
Prof. Dr. H. Schütte (röm.-kath.)
Prof. Dr. V. Vajta (ev.-luth.)

DIE LITURGISCHE FEIER DES HERRENMAHLS

a. DIE FEIER DER HEILIGEN MESSE IN DER RÖMISCH-KATHOLISCHEN KIRCHE

I. Eröffnung und Wortgottesdienst

Einzug — Gesang
Begrüßung der Gemeinde und Einführung
Schuldbekenntnis und Vergebungsbitte
Kyrie:
Herr, erbarme dich
Christus, erbarme dich
Herr, erbarme dich.
Gloria:
Ehre sei Gott in der Höhe
und Friede auf Erden den Menschen seiner Gnade, usw.
Tagesgebet
Lesungen, Zwischengesänge (Antwortpsalmen), Halleluja
Evangelium
Homilie (Predigt)
Credo (Großes Glaubensbekenntnis oder Apostolisches Glaubensbekenntnis)
Fürbitten.

II. Eucharistiefeier

Gabenbereitung
Gabengebet
Hochgebet, beginnend mit der Präfation
(vgl. unten die Texte der Hochgebete I, II, III und IV)

Eucharistisches Hochgebet II

Priester: Der Herr sei mit euch.
Alle: Und mit deinem Geiste.
Priester: Erhebet die Herzen.
Alle: Wir haben sie beim Herrn.
Priester: Lasset uns danken dem Herrn, unserem Gott.
Alle: Das ist würdig und recht.

Priester: In Wahrheit ist es würdig und recht, dir, Herr, heiliger Vater, immer und überall zu danken durch deinen geliebten Sohn Jesus Christus. Er ist dein Wort, durch ihn hast du alles erschaffen. Ihn hast du gesandt als unseren Erlöser und Heiland. Er ist Mensch geworden durch den Heiligen Geist, geboren von der Jungfrau Maria. Um deinen Ratschluß zu erfüllen und dir ein heiliges Volk zu erwerben, hat er sterbend die Arme ausgebreitet am Holze des Kreuzes. Er hat die Macht des Todes gebrochen und die Auferstehung kundgetan. Darum preisen wir dich mit allen Engeln und Heiligen und singen vereint mit ihnen das Lob deiner Herrlichkeit:

Alle: Heilig, heilig, heilig,
Gott, Herr aller Mächte und Gewalten.
Erfüllt sind Himmel und Erde
von deiner Herrlichkeit.
Hosanna in der Höhe.
Hochgelobt sei,
der da kommt im Namen des Herrn.
Hosanna in der Höhe.

Priester: Ja, du bist heilig, großer Gott, du bist der Quell aller Heiligkeit. Darum bitten wir dich: Sende deinen Geist auf diese Gaben herab und heilige sie, damit sie uns werden Leib und Blut deines Sohnes, unseres Herrn Jesus Christus.

Denn am Abend, an dem er ausgeliefert wurde und sich aus freiem Willen dem Leiden unterwarf, nahm er das Brot und sagte Dank, brach es, reichte es seinen Jüngern und sprach:

NEHMET UND ESSET ALLE DAVON:
DAS IST MEIN LEIB,
DER FÜR EUCH HINGEGEBEN WIRD.

Ebenso nahm er nach dem Mahl den Kelch, dankte wiederum, reichte ihn seinen Jüngern und sprach:

NEHMET UND TRINKET ALLE DARAUS:
DAS IST DER KELCH
DES NEUEN UND EWIGEN BUNDES,
MEIN BLUT,
DAS FÜR EUCH UND FÜR ALLE VERGOSSEN WIRD
ZUR VERGEBUNG DER SÜNDEN.
TUT DIES ZU MEINEM GEDÄCHTNIS.

Geheimnis des Glaubens:
Alle: Deinen Tod, o Herr, verkünden wir, und deine Auferstehung preisen wir, bis du kommst in Herrlichkeit.
Priester: Darum, gütiger Vater, feiern wir das Gedächtnis des Todes und der Auferstehung deines Sohnes und bringen dir so das Brot des Lebens und den Kelch des Heiles dar. Wir danken dir, daß du uns berufen hast, vor dir zu stehen und dir zu dienen. Wir bitten dich: Schenke uns Anteil an Christi Leib und Blut, und laß uns eins werden durch den Heiligen Geist.
Gedenke deiner Kirche auf der ganzen Erde, und vollende dein Volk in der Liebe, vereint mit unserem Papst N., unserem Bischof N. und allen Bischöfen, unseren Priestern und Diakonen und mit allen, die zum Dienst in der Kirche bestellt sind.
Gedenke unserer Brüder und Schwestern, die entschlafen sind in der Hoffnung, daß sie auferstehen. Nimm sie und alle, die in deiner Gnade aus dieser Welt geschieden sind, in dein Reich auf, wo sie dich schauen von Angesicht zu Angesicht.
Vater, erbarme dich über uns alle, damit uns das ewige Leben zuteil wird in der Gemeinschaft mit der seligen Jungfrau und Gottesmutter Maria, mit deinen Aposteln und mit allen, die bei dir Gnade gefunden haben von Anbeginn der Welt, daß wir dich loben und preisen durch deinen Sohn Jesus Christus.
Durch ihn und mit ihm und in ihm ist dir, Gott, allmächtiger Vater, in der Einheit des Heiligen Geistes alle Herrlichkeit und Ehre jetzt und in Ewigkeit.
Alle: Amen.

Kommunion

Vater unser:
Priester: Dem Wort unseres Herrn und Erlösers gehorsam und getreu seiner göttlichen Weisung wagen wir zu sprechen:
oder: Lasset uns beten, wie der Herr uns zu beten gelehrt hat:
oder: Wir heißen Kinder Gottes und sind es. Darum beten wir voll Vertrauen:
oder: Wir haben den Geist empfangen, der uns zu Kindern Gottes macht. Darum wagen wir zu sprechen:
Alle: Vater unser im Himmel,
Geheiligt werde dein Name.
Dein Reich komme.

Dein Wille geschehe,
wie im Himmel so auf Erden.
Unser tägliches Brot gib uns heute.
Und vergib uns unsere Schuld,
wie auch wir vergeben unsern Schuldigern.
Und führe uns nicht in Versuchung,
Sondern erlöse uns von dem Bösen.

Priester: Erlöse uns, Herr, allmächtiger Vater, von allem Bösen und gib Frieden in unseren Tagen. Komm uns zu Hilfe mit deinem Erbarmen und bewahre uns vor Verwirrung und Sünde, damit wir voll Zuversicht das Kommen unseres Erlösers Jesus Christus erwarten.

Alle: Denn dein ist das Reich und die Kraft und die Herrlichkeit in Ewigkeit. Amen.

Friedensgebet:

Priester: Der Herr hat zu seinen Aposteln gesagt: Frieden hinterlasse ich euch, meinen Frieden gebe ich euch. Deshalb bitten wir: Herr Jesus Christus, schau nicht auf unsere Sünden, sondern auf den Glauben deiner Kirche und schenke ihr nach deinem Willen Einheit und Frieden.
Der Friede des Herrn sei allezeit mit euch.

Alle: Und mit deinem Geiste.

Brechung des Brotes — Agnus Dei (Lamm Gottes)

Priester: Das Sakrament des Leibes und Blutes Christi schenke uns ewiges Leben.

Alle: Lamm Gottes, du nimmst hinweg die Sünde der Welt,
erbarme dich unser.
Lamm Gottes, du nimmst hinweg die Sünde der Welt,
erbarme dich unser.
Lamm Gottes, du nimmst hinweg die Sünde der Welt,
gib uns deinen Frieden.

Priester: Herr Jesus Christus, Sohn des lebendigen Gottes, dem Willen des Vaters gehorsam hast du im Heiligen Geist durch deinen Tod der Welt das Leben geschenkt. Erlöse mich durch deinen Leib und dein Blut von allen Sünden und allem Bösen. Hilf mir, daß ich deine Gebote treu erfülle, und laß nicht zu, daß ich jemals von dir getrennt werde.
Seht das Lamm Gottes, das hinwegnimmt die Sünde der Welt.

Alle: Herr, ich bin nicht würdig, daß du eingehst unter mein Dach, aber sprich nur ein Wort, so wird meine Seele gesund.
Priester: Selig, die zum Hochzeitsmahl des Lammes geladen sind.
Kommunionspendung
Besinnung und Dankhymnus (variiert)
Schlußgebet (variiert)
Segen und Entlassung
Priester: Der Herr sei mit euch.
Alle: Und mit deinem Geiste.
Priester: Es segne euch der allmächtige Gott,
der Vater und der Sohn und der Heilige Geist.
Alle: Amen.
Priester: Gehet hin in Frieden.
Alle: Dank sei Gott dem Herrn.

Wie im vorangehenden eucharistischen Hochgebet II, so bildet die Präfation auch im Hochgebet IV den integrierenden Bestandteil des Hochgebetes selbst.
In dem Hochgebet I und III variiert die Präfation je nach liturgischen Zeiten und Festtagen.

Eucharistisches Hochgebet I (Der römische Meßkanon)

Nach der Präfation und dem Sanctus spricht der Priester:
Dich, gütiger Vater, bitten wir durch deinen Sohn, unseren Herrn Jesus Christus: Nimm diese heiligen, makellosen Opfergaben an und segne sie. Wir bringen sie dar vor allem für deine heilige katholische Kirche in Gemeinschaft mit deinem Diener, unserem Papst N., mit unserem Bischof N. und mit allen, die Sorge tragen für den rechten, katholischen und apostolischen Glauben. Schenke deiner Kirche Frieden und Einheit, behüte und leite sie auf der ganzen Erde.
Gedenke deiner Diener und Dienerinnen N. N. (für die wir heute besonders beten) und aller, die hier versammelt sind. Herr, du kennst ihren Glauben und ihre Hingabe; für sie bringen wir dieses Opfer des Lobes dar, und sie selber weihen es dir für sich und für alle, die ihnen verbunden sind, für ihre Erlösung und für ihre Hoffnung auf das unverlierbare Heil. Vor dich, den ewigen, lebendigen und wahren Gott, bringen sie ihre Gebete und Gaben.

In Gemeinschaft mit der ganzen Kirche gedenken wir deiner Heiligen. Wir ehren vor allem Maria, die glorreiche, allzeit jungfräuliche Mutter unseres Herrn und Gottes Jesus Christus. Wir ehren ihren Bräutigam, den heiligen Josef, deine heiligen Apostel und Märtyrer: Petrus und Paulus, Andreas (Jakobus, Johannes, Thomas, Jakobus, Philippus, Bartolomäus, Mattäus, Simon und Taddäus, Linus, Kletus, Klemens, Xystus, Kornelius, Cyprianus, Laurentius, Chrysogonus, Johannes und Paulus, Kosmas und Damianus) und alle deine Heiligen; blicke auf ihr heiliges Leben und Sterben und gewähre uns auf ihre Fürsprache in allem deine Hilfe und deinen Schutz.
(Das folgende Gebet hat an bestimmten Tagen und bei verschiedenen Feiern eine besondere Form.)
Nimm gnädig an, o Gott, diese Gaben deiner Diener und deiner ganzen Gemeinde, ordne unsere Tage in deinem Frieden, rette uns vor dem ewigen Verderben und nimm uns auf in die Schar deiner Erwählten.
Schenke, o Gott, diesen Gaben Segen in Fülle und nimm sie zu eigen an. Mache sie uns zum wahren Opfer im Geiste, das dir wohlgefällt: zum Leib und Blut deines geliebten Sohnes, unseres Herrn Jesus Christus.
Am Abend vor seinem Leiden nahm er das Brot in seine heiligen und ehrwürdigen Hände, erhob die Augen zum Himmel, zu dir, seinem Vater, dem allmächtigen Gott, sagte dir Lob und Dank, brach das Brot, reichte es seinen Jüngern und sprach:

NEHMET UND ESSET ALLE DAVON:
DAS IST MEIN LEIB,
DER FÜR EUCH HINGEGEBEN WIRD.

Ebenso nahm er nach dem Mahl diesen erhabenen Kelch in seine heiligen und ehrwürdigen Hände, sagte dir Lob und Dank, reichte den Kelch seinen Jüngern und sprach:

NEHMET UND TRINKET ALLE DARAUS:
DAS IST DER KELCH DES NEUEN UND EWIGEN BUNDES,
MEIN BLUT,
DAS FÜR EUCH UND FÜR ALLE VERGOSSEN WIRD
ZUR VERGEBUNG DER SÜNDEN.
TUT DIES ZU MEINEM GEDÄCHTNIS.

Geheimnis des Glaubens:
Alle: Deinen Tod, o Herr, verkünden wir, und deine Auferstehung preisen wir, bis du kommst in Herrlichkeit.
Darum, gütiger Vater, feiern wir, deine Diener und dein heiliges Volk, das Gedächtnis deines Sohnes, unseres Herrn Jesus Christus. Wir verkünden sein heilbringendes Leiden, seine Auferstehung von den Toten und seine glorreiche Himmelfahrt. So bringen wir aus den Gaben, die du uns geschenkt hast, dir, dem erhabenen Gott, die reine, heilige und makellose Opfergabe dar: das Brot des Lebens und den Kelch des ewigen Heiles.
Blicke versöhnt und gütig darauf nieder und nimm sie an, wie einst die Gaben deines gerechten Dieners Abel, wie das Opfer unseres Vaters Abraham, wie die heilige Gabe, das reine Opfer deines Hohenpriesters Melchisedech.
Wir bitten dich, allmächtiger Gott: Dein heiliger Engel trage diese Opfergabe auf deinen himmlischen Altar vor deine göttliche Herrlichkeit; und wenn wir durch unsere Teilnahme am Altar den heiligen Leib und das Blut deines Sohnes empfangen, erfülle uns mit aller Gnade und allem Segen des Himmels.
Gedenke auch deiner Diener und Dienerinnen (N. und N.), die uns vorangegangen sind, bezeichnet mit dem Siegel des Glaubens, und die nun ruhen in Frieden. Wir bitten dich: Führe sie und alle, die in Christus entschlafen sind, in das Land der Verheißung, des Lichtes und des Friedens.
Auch uns, deinen sündigen Dienern, die auf deine reiche Barmherzigkeit hoffen, gib Anteil und Gemeinschaft mit deinen heiligen Aposteln und Märtyrern: Johannes, Stephanus, Mattias, Barnabas (Ignatius, Alexander, Marzellinus, Petrus, Felizitas, Perpetua, Agatha, Luzia, Agnes, Cäcilia, Anastasia) und mit allen deinen Heiligen; wäge nicht unser Verdienst, sondern schenke gnädig Verzeihung und gib uns mit ihnen das Erbe des Himmels.
Darum bitten wir dich durch unseren Herrn Jesus Christus. Denn durch ihn erschaffst du immerfort all diese guten Gaben, gibst ihnen Leben und Weihe und spendest sie uns.
Durch ihn und mit ihm und in ihm ist dir, Gott, allmächtiger Vater, in der Einheit des Heiligen Geistes alle Herrlichkeit und Ehre jetzt und in Ewigkeit!
Alle: Amen.

Eucharistisches Hochgebet III

Nach der Präfation und dem Sanctus spricht der Priester:

Ja, du bist heilig, großer Gott, und alle deine Werke verkünden dein Lob. Denn durch deinen Sohn, unseren Herrn Jesus Christus, und in der Kraft des Heiligen Geistes erfüllst du die ganze Schöpfung mit Leben und Gnade. Bis ans Ende der Zeiten versammelst du dir ein Volk, damit deinem Namen das reine Opfer dargebracht werde vom Aufgang der Sonne bis zum Untergang.

Darum bitten wir dich, allmächtiger Gott: Heilige unsere Gaben durch deinen Geist, damit sie uns werden Leib und Blut deines Sohnes, unseres Herrn Jesus Christus, der uns aufgetragen hat, dieses Geheimnis zu feiern.

Denn in der Nacht, da er verraten wurde, nahm er das Brot und sagte Dank, brach es, reichte es seinen Jüngern und sprach:

NEHMET UND ESSET ALLE DAVON:
DAS IST MEIN LEIB,
DER FÜR EUCH HINGEGEBEN WIRD.

Ebenso nahm er nach dem Mahl den Kelch, dankte wiederum, reichte ihn seinen Jüngern und sprach:

NEHMET UND TRINKET ALLE DARAUS:
DAS IST DER KELCH DES NEUEN UND EWIGEN BUNDES,
MEIN BLUT,
DAS FÜR EUCH UND FÜR ALLE VERGOSSEN WIRD
ZUR VERGEBUNG DER SÜNDEN.
TUT DIES ZU MEINEM GEDÄCHTNIS.

Geheimnis des Glaubens:

Alle: Deinen Tod, o Herr, verkünden wir, und deine Auferstehung preisen wir, bis du kommst in Herrlichkeit.

Priester: Darum, gütiger Vater, feiern wir das Gedächtnis deines Sohnes: Wir verkünden sein heilbringendes Leiden, seine glorreiche Auferstehung und Himmelfahrt und erwarten seine Wiederkunft. So bringen wir dir mit Lob und Dank dieses heilige und lebendige Opfer dar.

Schau gütig auf die Gabe deiner Kirche. Denn sie stellt dir das

Lamm vor Augen, das geopfert wurde und uns nach deinem Willen mit dir versöhnt hat. Stärke uns durch den Leib und das Blut deines Sohnes und erfülle uns mit seinem Heiligen Geist, damit wir ein Leib und ein Geist werden in Christus.
Er mache uns auf immer zu einer Gabe, die dir wohlgefällt, damit wir das verheißene Erbe erlangen mit deinen Auserwählten, mit der seligen Jungfrau und Gottesmutter Maria, mit deinen Aposteln und Märtyrern (mit dem — der — heiligen N.: Tagesheiliger oder Patron) und mit allen Heiligen, auf deren Fürsprache wir vertrauen.
Barmherziger Gott, wir bitten dich: Dieses Opfer unserer Versöhnung bringe der ganzen Welt Frieden und Heil. Beschütze deine Kirche auf ihrem Weg durch die Zeit und stärke sie im Glauben und in der Liebe: deinen Diener, unseren Papst N., unseren Bischof N. und die Gemeinschaft der Bischöfe, unsere Priester und Diakone, alle, die zum Dienst in der Kirche bestellt sind, und das ganze Volk deiner Erlösten.
Erhöre, gütiger Vater, die Gebete der hier versammelten Gemeinde und führe zu dir auch alle deine Söhne und Töchter, die noch fern sind von dir.
Erbarme dich unserer verstorbenen Brüder und Schwestern und aller, die in deiner Gnade aus dieser Welt geschieden sind. Nimm sie auf in deine Herrlichkeit. Und mit ihnen laß auch uns, wie du verheißen hast, zu Tische sitzen in deinem Reich.
Darum bitten wir dich durch unseren Herrn Jesus Christus. Denn durch ihn schenkst du der Welt alle guten Gaben.
Durch ihn und mit ihm und in ihm ist dir, Gott, allmächtiger Vater, in der Einheit des Heiligen Geistes alle Herrlichkeit und Ehre jetzt und in Ewigkeit.
Alle: Amen.

Eucharistisches Hochgebet IV

Präfation

Priester: In Wahrheit ist es würdig, dir zu danken, heiliger Vater. Es ist recht, dich zu preisen. Denn du allein bist der lebendige und wahre Gott. Du bist vor den Zeiten und lebst in Ewigkeit. Du wohnst in unzugänglichem Lichte. Alles hast du erschaffen, denn du bist die Liebe und der Ursprung des Lebens.

Du erfüllst deine Geschöpfe mit Segen und erfreust sie alle mit dem Glanz deines Lichtes. Vor dir stehen die Scharen der Engel und schauen dein Angesicht. Sie dienen dir, Tag und Nacht, nie endet ihr Lobgesang. Mit ihnen preisen auch wir deinen Namen, durch unseren Mund rühmen dich alle Geschöpfe und künden voll Freude das Lob deiner Herrlichkeit:

Alle: Heilig, heilig, heilig, usw.

Priester: Wir preisen dich, heiliger Vater, denn groß bist du, und alle deine Werke künden deine Weisheit und Liebe.

Den Menschen hast du nach deinem Bild geschaffen und ihm die Sorge für die ganze Welt anvertraut. Über alle Geschöpfe sollte er herrschen und allein dir, seinem Schöpfer, dienen.

Als er im Ungehorsam deine Freundschaft verlor und der Macht des Todes verfiel, hast du ihn dennoch nicht verlassen, sondern voll Erbarmen allen geholfen, dich zu suchen und zu finden.

Immer wieder hast du den Menschen deinen Bund angeboten und sie durch die Propheten gelehrt, das Heil zu erwarten.

So sehr hast du die Welt geliebt, heiliger Vater, daß du deinen eingeborenen Sohn als Retter gesandt hast, nachdem die Fülle der Zeiten gekommen war. Er ist Mensch geworden durch den Heiligen Geist, geboren von der Jungfrau Maria. Er hat wie wir als Mensch gelebt, in allem uns gleich außer der Sünde.

Den Armen verkündete er die Botschaft vom Heil, den Gefangenen Freiheit, den Trauernden Freude.

Um deinen Ratschluß zu erfüllen, hat er sich dem Tod überliefert, durch seine Auferstehung den Tod bezwungen und das Leben neu geschaffen.

Damit wir nicht mehr uns selber leben, sondern ihm, der für uns gestorben und auferstanden ist, hat er von dir, Vater, als erste Gabe für alle, die glauben, den Heiligen Geist gesandt, der das Werk deines Sohnes auf Erden weiterführt und alle Heiligung vollendet.

So bitten wir dich, Vater: der Geist heilige diese Gaben, damit sie uns werden Leib und Blut unseres Herrn Jesus Christus, der uns die Feier dieses Geheimnisses aufgetragen hat als Zeichen des ewigen Bundes.

Da er die Seinen liebte, die in der Welt waren, liebte er sie bis zur Vollendung. Und als die Stunde kam, da er von dir verherrlicht werden sollte, nahm er beim Mahl das Brot und sagte dir Dank, brach das Brot, reichte es seinen Jüngern und sprach:

Nehmet und esset alle davon:
Das ist mein Leib,
der für euch hingegeben wird.

Ebenso nahm er den Kelch mit Wein, dankte wiederum, reichte den Kelch seinen Jüngern und sprach:

Nehmet und trinket alle daraus:
Das ist der Kelch des neuen und ewigen Bundes,
mein Blut,
das für euch und für alle vergossen wird
zur Vergebung der Sünden.
Tut dies zu meinem Gedächtnis.

Geheimnis des Glaubens:

Alle: Deinen Tod, o Herr, verkünden wir, und deine Auferstehung preisen wir, bis du kommst in Herrlichkeit.

Priester: Darum, gütiger Vater, feiern wir das Gedächtnis unserer Erlösung. Wir verkünden den Tod deines Sohnes und sein Hinabsteigen zu den Vätern, bekennen seine Auferstehung und Himmelfahrt und erwarten sein Kommen in Herrlichkeit.

So bringen wir dir seinen Leib und sein Blut dar, das Opfer, das dir wohlgefällt und der ganzen Welt Heil bringt.

Sieh her auf die Opfergabe, die du selber deiner Kirche bereitet hast, und gib, daß alle, die Anteil erhalten an dem einen Brot und dem einen Kelch, ein Leib werden im Heiligen Geist, eine lebendige Opfergabe in Christus zum Lob deiner Herrlichkeit.

Herr, gedenke aller, für deren Heil wir das Opfer darbringen. Wir bitten dich für unseren Papst N., unseren Bischof N. und die Gemeinschaft der Bischöfe, für unsere Priester und Diakone und für alle, die zum Dienst in der Kirche bestellt sind, für alle, die ihre Gaben spenden, für die hier versammelte Gemeinde, für dein ganzes Volk und für alle Menschen, die mit lauterem Herzen dich suchen.

Wir empfehlen dir auch jene, die im Frieden Christi heimgegangen sind, und alle Verstorbenen, um deren Glauben niemand weiß als du. Gütiger Vater, gedenke, daß wir deine Kinder sind, und schenke uns allen das Erbe des Himmels in Gemeinschaft

mit der seligen Jungfrau und Gottesmutter Maria, mit deinen Aposteln und mit allen Heiligen. Und wenn die ganze Schöpfung von der Verderbnis der Sünde und des Todes befreit ist, laß uns zusammen mit ihr dich verherrlichen in deinem Reich durch unseren Herrn Jesus Christus. Denn durch ihn schenkst du der Welt alle guten Gaben.
Durch ihn und mit ihm und in ihm ist dir, Gott, allmächtiger Vater, in der Einheit des Heiligen Geistes alle Herrlichkeit und Ehre jetzt und in Ewigkeit.
Alle: Amen

b. DIE LITURGIE DES HEILIGEN ABENDMAHLS IN DEN EVANGELISCH-LUTHERISCHEN KIRCHEN*

1. Die Ordnung des Hauptgottesdienstes

nach: Agende für evangelisch-lutherische Kirchen und Gemeinden I (aus dem Jahre 1955) unter Einbeziehung der 1976 und 1977 beschlossenen bzw. zur einstweiligen Erprobung bestimmten Revisionen

I. Eröffnung und Anrufungen

1. Introitus (kann wegfallen)
2. Rüstgebet der Gemeinde (kann wegfallen): Confiteor
3. Eingangslied oder Introitus oder beides
4. Kyrie eleison und Gloria in excelsis
5. Salutation und Kollektengebet de tempore

* Die liturgische Tradition in den evangelisch-lutherischen Kirchen wechselt nach Sprachen und Ländern. Hier wird eine repräsentative Auswahl von Abendmahlsliturgien abgedruckt. Die Beispiele sind sowohl von den größeren wie auch von den Minderheitskirchen. Daneben existieren freilich noch andere Formen der Abendmahlsliturgie, besonders für andere Gelegenheiten als die Liturgie für den sonntäglichen Hauptgottesdienst. Unsere Beispiele beschränken sich auf den Hauptgottesdienst an Sonn- und Feiertagen.

II. Verkündigung und Bekenntnis

1. Alttestamentliche Lesung (kann entfallen)
2. Graduallied (kann hier entfallen)
3. Epistel
4. Halleluja und ggf. Graduallied
5. Evangelium
6. Credo
7. Predigt
8. Lied nach der Predigt
9. Abkündigungen
10. Dankopfer
11. Allgemeines Kirchengebet (Fürbittengebet)

III. Das heilige Abendmahl

1. Präfation (Großes Dankgebet)

Liturg: Der Herr sei mit euch
Gemeinde: Und mit deinem Geiste
Liturg: Die Herzen in die Höhe!
Gemeinde: Wir erheben sie zum Herren
Liturg: Lasset uns Dank sagen dem Herren, unserm Gotte
Gemeinde: Das ist würdig und recht

Liturg (25 Präfationsgebete nach dem Kirchenjahr; z. B. allgemein):
Wahrhaft würdig und recht, billig und heilsam ist's / daß wir dir, heiliger Herr, allmächtiger Vater, ewiger Gott / alle Zeit und allenthalben Dank sagen / durch Christum, unsern Herren. Den du der Welt zum Heile gesandt hast, / auf daß wir durch seinen Tod Vergebung der Sünde / und durch sein Auferstehen das Leben haben. Durch welchen deine Majestät loben die Engel / anbeten die Herrschaften / fürchten die Mächte; die Himmel und aller Himmel Kräfte samt den seligen Seraphim / mit einhelligem Jubel dich preisen. Mit ihnen laß auch unsre Stimmen uns vereinen und anbetend ohn Ende lobsingen:
Gemeinde:
Heilig, heilig, heilig ist Gott, der Herre Zebaoth, alle Lande sind seiner Ehre voll. Hosanna in der Höhe. Gelobet sei, der da kommt im Namen des Herren. Hosanna in der Höhe.

2. Konsekration — nach Form A, B oder C wie folgt:

(A)

Liturg: Vater unser im Himmel ... von dem Bösen.
Gemeinde: Denn dein ist das Reich ... in Ewigkeit. Amen.
Liturg: Unser Herr Jesus Christus, in der Nacht, da er verraten ward, nahm er das Brot, dankte und brach's und gab's seinen Jüngern und sprach: „Nehmet hin und esset; das + ist mein Leib, der für euch gegeben wird; solches tut zu meinem Gedächtnis." Desselbengleichen nahm er auch den Kelch nach dem Abendmahl, dankte und gab ihnen den und sprach: „Nehmet hin und trinket alle daraus, dieser Kelch ist das neue Testament in + meinem Blut, das für euch vergossen wird zur Vergebung der Sünden. Solches tut, so oft ihr's trinket, zu meinem Gedächtnis."

(B)

Liturg (weitere eucharistische Gebete zur Auswahl siehe Seite 63): Gelobet seist du, Herr des Himmels und der Erde, daß du dich über deine Geschöpfe erbarmt und deinen eingebornen Sohn in unser Fleisch gesandt hast. Wir danken dir für die Erlösung, die du uns bereitet hast durch das heilige, allgenugsame Opfer seines Leibes und Blutes am Stamme des Kreuzes. In seinem Namen und zu seinem Gedächtnis versammelt, bitten wir dich, Herr: sende herab auf uns den Heiligen Geist, heilige und erneuere uns nach Leib und Seele und gib, daß wir unter diesem Brot und Wein deines Sohnes wahren Leib und Blut im rechten Glauben zu unserm Heil empfangen, da wir jetzt nach seinem Befehl sein eigen Testament also handeln und brauchen.
Unser Herr Jesus Christus, in der Nacht ... (wie oben [A])
Also gedenken wir, Herr, himmlischer Vater, des heilbringenden Leidens und Sterbens deines lieben Sohnes Jesu Christi. Wir preisen seine sieghafte Auferstehung von den Toten und getrösten uns seiner Auffahrt in dein himmlisches Heiligtum, da er, unser Hoherpriester, uns immerdar vor dir vertritt. Und wie wir alle durch die Gemeinschaft seines Leibes und Blutes ein Leib sind in Christo, so bringe zusammen deine Gemeinde von den Enden der Erde, auf daß wir mit allen Gläubigen das Hochzeitsmahl des Lammes feiern mögen in seinem Reich. Durch ihn sei dir, allmächtiger Gott, im Heiligen Geiste Lob und

Ehre, Preis und Anbetung jetzt und immerdar und von Ewigkeit zu Ewigkeit.
Gemeinde: Amen.
Liturg: Vater unser im Himmel ...
Gemeinde: Denn dein ist das Reich ... (wie oben [A])
Liturg: Der Friede des Herren sei mit euch allen.
Gemeinde: Amen.
Christe, du Lamm Gottes; oder: O Lamm Gottes, unschuldig.

(C)

Abendmahlslied
Jesus Christus, unser Heiland, lädt uns an seinen Tisch. Er will uns Kraft und Zuversicht schenken, die von seinem Sterben und Auferstehen ausgeht. In Brot und Wein, dem Zeichen seiner Gegenwart, verbindet er sich mit uns und führt uns zusammen als Glieder seiner Gemeinde.
Der Herr Jesus Christus, in der Nacht ... (Einsetzungsworte wie oben (A)
Sooft ihr von diesem Brot esset und von diesem Kelch trinket, verkündigt ihr des Herrn Tod, bis daß er kommt.
In diesem Mahl, das Jesus Christus mit seinen Jüngern gehalten hat, will er bei uns sein mit allem, was er geben kann. Nun kann uns nichts mehr von Gott trennen, aber auch nichts, was uns sonst quälen könnte, unser Zweifel, unser Versagen, unsere Schuld. Wir sind nicht mehr verlassen.
Barmherziger Gott und Vater, du hast deinen Sohn zu uns gesandt, und hast uns eingeladen, heimzukehren zu dir. Du bist größer als alles, was uns beschwert und ängstigt. Weil dein Sohn sich für uns hingegeben hat, so nimm uns an. Erneuere und heilige unser Leben, daß uns nichts scheiden kann von deiner Liebe.
Herr, wir glauben, hilf unserm Unglauben!
Liturg: Ist dies euer Gebet, so stimmt ein in die Bitte:
Christe, du Lamm Gottes,
der du trägst die Sünd der Welt,
erbarm dich unser

Gemeinde singt:
Christe, du Lamm Gottes ...
Herr, erbarme dich unser!

Gemeinde spricht:
Herr, erbarme dich unser!
Liturg: Unser Herr Jesus Christus lädt euch ein, unter Brot und Wein seine Vergebung zu empfangen. Kommt, denn er ist bereit für euch. Selig ist, wer das Brot isset im Reiche Gottes.

3. Austeilung (Kommunion)

4. Dankgebet und Entlassung

Liturg: Der Herr sei mit euch
Gemeinde: Und mit deinem Geist
Liturg: Danket dem Herrn, denn er ist freundlich, (Halleluja)
Gemeinde: Und seine Güte währet ewiglich. (Halleluja)
(30 Versikel nach dem Kirchenjahr)
Liturg (30 Kollektengebete nach dem Kirchenjahr; z. B. allgemein):
Wir danken dir, allmächtiger Herre Gott, daß du uns durch diese heilsame Gabe hast erquicket: und bitten deine Barmherzigkeit / daß du uns solches gedeihen lassest zu starkem Glauben gegen dich und zu brünstiger (brennender) Liebe unter uns allen. Durch unsern Herrn Jesum Christum, deinen Sohn / der mit dir und dem Heiligen Geiste lebet und regieret von Ewigkeit zu Ewigkeit.
Entlassung und Segen.

Weitere eucharistische Gebete zur Form B

1. Wir loben dich, Herr des Himmels und der Erde.
Du hast dich über deine Geschöpfe erbarmt
und deinen Sohn Mensch werden lassen.
Wir danken dir für die Erlösung,
die er am Kreuz für uns vollbracht hat.
Wir bitten dich:
Sende auf uns herab den Heiligen Geist,
heilige und erneuere uns an Leib und Seele,
damit wir unter diesem Brot und Wein
den Leib und das Blut Jesu Christi zu unserm Heil empfangen,
wenn wir jetzt tun, was er geboten hat:
Unser Herr Jesus Christus . . . (Einsetzungsworte wie bei [A])
Hier kann die Gemeinde singen oder sprechen:
„Deinen Tod, o Herr, verkünden wir

und deine Auferstehung preisen wir,
bis du kommst in Herrlichkeit."
So gedenken wir, himmlischer Vater,
des Leidens und Sterbens deines Sohnes.
Wir preisen seine Auferstehung und Himmelfahrt
und vertrauen auf seine Herrschaft über alle Welt.
Wir bitten dich:
Wie alle, die seinen Leib empfangen,
e i n Leib sind in Christus,
so bringe deine Gemeinde zusammen von den Enden der Erde,
und laß uns mit allen Gläubigen
das ewige Freudenmahl feiern in seinem Reich.
Durch ihn sei dir, allmächtiger Gott, im Heiligen Geiste Lob und Ehre, Preis und Anbetung
jetzt und immerdar und von Ewigkeit zu Ewigkeit.
G. Amen.
Vater unser im Himmel ...
2. Wir preisen dich, Herr,
und singen dir unser Lob.
Du hast nicht der Sünde und dem Tod überlassen,
was du, allmächtiger Gott, erschaffen hast.
Durch Jesus Christus, dein Wort,
rufst du uns alle zum Leben.
Er hat unsre Schuld auf sich genommen
und Frieden gemacht zwischen dir und den Menschen.
In der Nacht, da er verraten ward ... (Einsetzungsworte wie bei [A])
Gemeinde:
„Deinen Tod, o Herr, verkünden wir
und deine Auferstehung preisen wir,
bis du kommst in Herrlichkeit."
Darum danken wir dir, Vater im Himmel,
für das Leben und das Leiden deines Sohnes,
für sein Opfer am Kreuz.
Wir preisen seine Auferstehung,
den Sieg über Unheil und Tod.
Gib uns, Herr, den Heiligen Geist
und erneuere durch ihn unser Leben.
Vereine alle, die teilhaben an Christi Leib und Blut,

in der Einheit des Glaubens,
in der Gemeinschaft der Liebe
und in der Hoffnung auf deine Herrlichkeit.
(Maranatha!) Unser Herr kommt.
G. Amen, ja komm, Herr Jesu!
Vater unser im Himmel . . .

3. (ohne Präfation und Sanctus)
Herr, unser Gott, Herrscher des Alls.
Wir preisen dich für die Wunder deiner Schöpfung.
Du segnest die Arbeit der Menschen
und beschenkst uns mit Leben und Freude.
Du hast uns Brot und Wein gegeben,
das Mahl deines Sohnes zu halten.
Wir danken dir für das Geheimnis deiner Liebe.
Nimm uns aufs neue an zu deinem Eigentum,
daß unser Tun und Lassen dich ehre
durch Jesus Christus, unsern Herrn.
In der Nacht, da er verraten ward . . . (Einsetzungsworte wie bei [A])
Gemeinde:
„Deinen Tod, o Herr, verkünden wir
und deine Auferstehung preisen wir,
bis du kommst in Herrlichkeit."
So gedenken wir, Vater,
seines Lebens, das er für alle dahingab,
und seiner Auferweckung vom Tod.
Er hat sich geopfert zum Heil der Welt
und ist eingesetzt zum Herrn über alle Gewalten.
Sende uns den Heiligen Geist,
daß er uns durch diese Gaben mit neuem Leben erfülle.
Verbinde alle, die zu deinem Volk gehören,
in der Gemeinschaft des Glaubens.
Erbarme dich deiner Kirche
und schenke ihr die Einheit in dem Mahl der Freude.
Wir warten, Gott, auf deinen großen Tag.
(Maranatha!) Unser Herr kommt.
G. Amen, ja komm, Herr Jesu!
Vater unser im Himmel . . .

4. (Nach der Präfation und dem Sanctus)
Wir loben den ewigen, heiligen Gott,
der seine Schöpfung wunderbar erhält,
der den Lauf der Welt regiert nach seinem Rat
und sein Volk erwählt hat zum Zeugen seines Erbarmens.
Wir danken ihm, daß er uns seinen Sohn gesandt hat,
den Boten seiner Liebe,
der uns trägt mit unserer Schuld
und uns beisteht in aller Not,
der uns geliebt hat bis ans Ende.
In der Nacht, da er verraten ward ... (Einsetzungsworte wie bei [A])

Diakon:
Sooft ihr von diesem Brot esset
und von diesem Kelch trinket,
verkündigt ihr des Herrn Tod,
bis daß er kommt.

Gemeinde:
Deinen Tod, o Herr, verkünden wir
und deine Auferstehung preisen wir,
bis du kommst in Herrlichkeit.
Darum gedenken wir seines Leidens und Sterbens,
seiner Auferstehung und seiner Zukunft.
An seinem Tisch schenkt er uns Gemeinschaft mit Gott
und Liebe zu den Menschen.

Diakon:
Ihm gehört unser Denken und Tun.
Er stellt uns auf den Weg des Friedens.
Er segne uns in seinem Mahl
und heilige unser Leben durch seinen Geist.

Gemeinde:
Komm, Heiliger Geist, erfüll die Herzen
deiner Gläubigen und entzünd in ihnen das
Feuer deiner göttlichen Liebe, der du in
Mannigfaltigkeit der Zungen die Völker der
ganzen Welt versammelt hast in Einigkeit
des Glaubens.
Halleluja, Halleluja. (EKG 124)

oder ein anderes Bittlied um den Heiligen Geist.

5. Wir preisen dich, allmächtiger Gott,
daß du deinen Sohn für uns dahingegeben hast,
Jesus Christus, unsern Heiland,
der gehorsam war bis zum Tod.
In der Nacht, da er verraten ward ... (Einsetzungsworte wie bei [A])
So gedenken wir an seinen Tod
und bitten dich:
Erfülle uns mit deinem Geist.
Segne uns auch diese Gaben.
Durch dieses Brot, das wir miteinander teilen,
schenke uns die Gemeinschaft mit Jesus Christus.
Durch diesen Kelch, aus dem wir trinken,
verbinde uns mit ihm.
Gedenke an deine Gemeinde, die zerstreut
ist in aller Welt,
und bringe sie zusammen zu deinem Reich.
Dir sei Ehre in Ewigkeit.
Vater unser im Himmel ...

2. *The Holy Communion*

Nach: Lutheran Book of Worship, 1978 (Vereinigte Staaten Amerikas)

Brief Order for Confession and Forgiveness (not part of the eucharistic rite)

The Holy Communion:
— the liturgy is not subdivided, but rubrics provide for its use as a „preaching service" —
Entrance Hymn or Psalm
Apostolic Greeting
Kyrie (Eastern form)
* Gloria in excelsis — or — Worthy is Christ, the Lamb
Prayer of the Day
First Lesson
Responsorial Psalm

Second Lesson
Verse (Alleluia or Tract)
Holy Gospel
Sermon
Hymn of the Day
* Nicene or Apostles' Creed
The Prayers
Offering & Offertory
(Prayers after the gifts are presented)

Merciful Father, we offer with joy and thanksgiving what you have first given us — ourselves, our time, and our possessions, signs of your gracious love. Receive them for the sake of him who offered himself for us, Jesus Christ our Lord. Amen.

— or —

Blessed are you, O Lord our God, maker of all things. Through your goodness you have blessed us with these gifts. With them we offer ourselves to your service and dedicate our lives to the care and redemption of all that you have made, for the sake of him who gave himself for us, Jesus Christ our Lord. Amen.

(Preparation of the bread and wine which have been part of the offering)

Dialogue and Preface:
* (P) The Lord be with you.
(C) And also with you.
(P) Lift up your hearts.
(C) We lift them to the Lord.
(P) Let us give thanks to the Lord our God.
(C) It is right to give him thanks an praise.
(P) It is indeed right and salutary . . .
. . . we praise your Name and join their unending hymn:

* Sanctus
—the service continues, using option 1, 2 or 3. —

1. Holy God, mighty Lord, gracious Father: endless is your mercy and eternal your reign. You have filled all creation with light and life: heaven and earth are full of your glory.

Through Abraham you promised to bless all nations. You rescued Israel, your chosen people. Through the Prophets you renewed your promise; and, at this end of all the ages, you sent your Son, who in words and deeds proclaimed your kingdom and was obedient to your will, even to giving his life.

In the night in which he was betrayed, our Lord Jesus took bread, and gave thanks; broke it, and gave it to his disciples saying: Take and eat; this is my body given for you. Do this for the remembrance of me. Again, after supper, he took the cup, gave thanks, and gave it for all to drink, saying: This cup is the new covenant in my blood, shed for you and for all people, for the forgiveness of sin. Do this for the remembrance of me.

For as often as we eat of this bread and drink from this cup, we proclaim the Lord's death, until he comes.

(C) Christ has died. Christ is risen. Christ will come again.

Therefore, gracious Father, with this bread and cup we remember the life our Lord offered for us. And, believing the witness of his resurrection, we await his coming in power to share with us the great and promised feast.

(C) Amen. Come, Lord Jesus.

Send now, we pray, your Holy Spirit, the Spirit of our Lord and of his resurrection, that we who receive the Lord's body and blood may live to the praise of your glory and receive our inheritance with all your saints in light.

(C) Amen. Come, Holy Spirit.

Join our prayers with those of your servants of every time and every place, and unite them with the ceaseless petitions of our great High Priest until he comes as victorious Lord of all.

(C) Through him, with him, in him, in the unity of the Holy Spirit, all honor and glory is yours, almighty Father, now and forever. Amen.

2. In the night in which he was betrayed, our Lord Jesus took bread, and gave thanks; broke it, and gave it to his disciples saying: Take and eat; this is my body given for you. Do this for the remembrance of me. Again, after supper, he took the cup, gave thanks, and gave it for all to drink, saying: This cup is the new covenant in my blood, shed for you and for all people, for the forgiveness of sin. Do this for the remembrance of me.

3. Blessed are you, Lord of heaven and earth. In mercy for our fallen world you gave your only Son, that all those who believe

in him should not perish, but have eternal life. We give thanks to you for the salvation you have prepared for us through Jesus Christ. Send now your Holy Spirit into our hearts that we may receive our Lord with a living faith as he comes to us in his holy supper.

(C) Amen. Come, Lord Jesus.

In the night in which he was betrayed, our Lord Jesus took bread, and gave thanks; broke it, and gave it to his disciples saying: Take and eat; this is my body given for you. Do this for the remembrance of me. Again, after supper, he took the cup, gave thanks, and gave it for all to drink, saying: This cup is the new covenant in my blood, shed for you and for all people for the forgiveness of sin. Do this for the remembrance of me.

* Lord's Prayer
Communion
* Agnus Dei as a communion hymn
Post-communion:
Canticle: Thank the Lord and sing his praise — or — Nunc dimittis
Collect
Silence
Benediction
Dismissal

* Text used was prepared by the International Consultation on English Texts, 1975 version.

3. Orde du Service

Nach Liturgie, Bd. I, Eglise Evangélique Luthérienne de France (1966)

Recueillement (jeu d'orgue ou silence)
Chant d'un psaume ou d'un choral
Invocation
Introit
Gloire soit au Père . . .

Confession des péchés
Seigneur, aie pitié . . .
Promesses de grâce et absolution
Gloire soit à Dieu . . .
Le Seigneur est avec vous!
Le Seigneur est avec toi! (parlé ou chanté)
Collecte
Lecture de l'Ancien Testament
Verset de psaume
Lecture de l'Epître
Amen, Alléluia!
Lecture de l'Evangile
Louange à toi, ô Christ!
Confession de la foi (si elle n'est pas placée après la prédication)
Chant d'un cantique
Prière
Prédication
Recueillement (jeu d'orgue ou silence)
Confession de la foi (si elle n'est pas placée après les lectures)
Chant d'un cantique (à choisir de préférence parmi les cantiques de consécration personnelle)
Annonces
Offrande et prière d'offrande
Prière d'intercession

DIALOGUE EUCHARISTIQUE

Le sacrifice agréable au Seigneur, c'est un cœur contrit et brisé;
ô Dieu, tu ne méprises pas le cœur qui s'humilie devant toi.
O Dieu, crée en moi . . .
Le Seigneur est avec vous!
Le Seigneur est avec toi!
Elevons nos cœurs!
Nous les élevons vers le Seigneur.
Rendons grâces au Seigneur, notre Dieu.
Cela est digne et juste.

Preface

Il est vraiment digne et juste que nous te rendions grâces en tout temps et en tout lieu, Dieu tout-puissant, Père saint et éternel, par Jésus-Christ notre Seigneur, pour ta gloire infinie et pour ton amour rédempteur. Car tu as créé les cieux et toutes leurs armées, la terre et ses magnificences; tu nous as donné l'être et la vie et tu nous conserves par ta Providence. Mais tu as surtout manifesté ton amour en envoyant dans le monde ton Fils bien-aimé, ta Parole éternelle et ton image visible, en qui habite corporellement la plénitude de la divinité, et qui s'est abaissé jusqu'à nous pour nous élever jusqu'à toi. Pour le don précieux de ce puissant Sauveur, Fils de l'homme qui allait de lieu en lieu en faisant le bien, sainte et adorable victime qui s'est chargée de nos iniquités, médiateur charitable qui nous a réconciliés avec toi, et pain vivant donné pour la nourriture du monde, nous te louons et nous te bénissons, ô Seigneur Dieu. C'est pourquoi, avec l'Eglise universelle, avec les saints glorifiés, avec les anges et toute l'armée des cieux, nous louons et nous magnifions ton nom, nous t'exaltons et nous chantons:
Saint, saint, saint est le Seigneur ...

Consecration

Envoie ton Saint-Esprit sur nous ton peuple élu, et pénètre de sa puissance ton Eglise entière. Que cet Esprit de vie fasse pour nous, de ces aliments terrestres que tu nous as donnés, un aliment spirituel. Qu'ainsi, dans ce pain et dans ce vin, nous ayons communion au corps et au sang de notre Sauveur, qui, la nuit où il fut trahi, soupa avec ses disciples, prit du pain et après avoir rendu grâces, le rompit et le leur donna, en disant: prenez, mangez, ceci est mon corps,

L'officiant, qui a rompu une hostie, la présente

qui est donné pour vous. Faites ceci en mémoire de moi.
De même, après avoir soupé, il prit la coupe, rendit grâces, et la leur donna en disant: buvez-en tous, ceci est mon sang,

L'officiant élève la coupe

le sang de la nouvelle alliance, répandu pour vous et pour une multitude, en rémission des péchés. Faites ceci en mémoire de moi toutes les fois que vous en boirez.

Que toute créature fasse silence. Adorons le Seigneur.

Silence.

O Dieu, nous nous tenons devant toi pour accomplir l'acte sacré que nous a ordonné ton Fils
nous annonçons sa mort rédemptrice,
nous proclamons sa résurrection et son ascension glorieuses,
et dans l'attente joyeuse de son retour, nous célébrons son sacrifice, te suppliant d'amener tous les hommes à en accepter la puissance de salut.
Pour nous, pécheurs, qui n'avons de refuge qu'en ta miséricorde, daigne recevoir la prière de ton Fils en notre faveur.
Car c'est par lui que tu crées, que tu sanctifies, que tu vivifies, que tu bénis et que tu donnes tous tes biens.
C'est par lui, et avec lui, et en lui, que te sont rendus tout honneur et toute gloire, ô Dieu Père tout-puissant, en l'unité du Saint-Esprit, aux siècles des siècles. Amen.
Notre Père . . .
Que la paix du Seigneur soit toujours avec vous!
O Christ, agneau de Dieu . . .

Prière

Comme les épis jadis épars dans les campagnes et comme les grappes autrefois dispersées sur les collines sont maintenant réunis sur cette table dans ce pain et dans ce vin, qu'ainsi, Seigneur toute ton Eglise soit bientôt rassemblée des extrémités de la terre dans ton royaume.

Humble accès

Seigneur je ne suis pas digne que tu entres chez moi, mais dis seulement une parole, et je serai guéri.

Invitation

Venez, car tout est prêt.

Communion

PRIERE D'ACTION DE GRACES

Célébrez le Seigneur, car il est bon!
Et sa miséricorde dure éternellement!
Nous te rendons grâces, Dieu tout-puissant, qui as restauré nos

âmes par les dons salutaires du Corps et du Sang de notre Seigneur Jésus-Christ, et nous demandons à ta miséricorde de fortifier notre foi et de faire régner parmi nous un fervent amour; par Jésus-Christ, ton Fils, notre Seigneur. Amen.

BENEDICTION

4. Die Ordnung des Abendmahlsgottesdienstes

nach: Agende der Slowakischen Evangelischen Kirche Augsburgischen Bekenntnisses (aus dem Jahre 1954) und
nach: Slowakische Liturgie (aus dem Jahre 1960)

I. GOTTESDIENST DES WORTES

1. Introitus — spezielles Lied
2. Kyrie Eleison — Lied: entsprechend der Zeit des Kirchenjahres immer ein anderes Lied
3. Gloria in Excelsis — gesungen von Pfarrer und Gemeinde
4. Salutatio — gesungen von Pfarrer und Gemeinde
5. Kollektengebet — gesungen vom Pfarrer
6. Epistel — gesungen vom Pfarrer
7. Graduallied
8. Salutatio
9. Evangelium — gesungen vom Pfarrer
10. Credo — in der Regel Credo-Lied: entsprechend der Zeit des Kirchenjahres immer ein anderes Credo-Lied. An manchen Sonntagen aber auch Credo ohne Lied, dann gesprochen von der ganzen Gemeinde
11. Predigt
12. Allgemeines Kirchengebet — Fürbittengebet

II. BEICHTE — SÜNDENBEKENNTNIS UND ABSOLUTION

1. Ansprache
2. Vier Beichtfragen
3. Sündenbekenntnisgebet
4. Absolution — generelle und dann persönliche Absolution am Altar
   (Vor der Absolution wird noch die Frage gestellt, ob die Gemeinde glaubt, daß sie durch den Pfarrer die Absolution ihrer Sünden empfängt.)

III. Feier des Abendmahls

1. Präfation — Die Herzen in die Höhe usw.
2. Sanctus — Heilig, Heilig, Heilig ist Gott usw.
3. Vater unser — gesungen vom Pfarrer. Gem.: Amen.
4. Einsetzungsworte, Konsekration — gesungen vom Pfarrer. Nach jedem Teil der Einsetzungsworte singt die Gemeinde
5. Agnus Dei
6. Das Gebet vor dem Abendmahl — gesprochen vom Pfarrer: Herr Jesus Christus, wir werden deinen heiligen Leib und dein heiliges Blut empfangen. Möge uns dieser Empfang zeitlich und ewiglich helfen. Deinen barmherzigen Wunden übergeben wir uns ganz. Gib, daß wir nicht von dir abgesondert werden. Behüte uns vor dem Teufel und bewahre uns im wahren Glauben bis ans Ende, auf daß wir dich einmal mit allen Heiligen sehen und dort ewiglich loben können. Amen.
7. Austeilung — Kommunion. Vor der Austeilung noch die Frage, ob die Gemeinde glaubt, daß unter dem gesegneten Brot und Wein der wahre Leib und das wahre Blut Christi empfangen werden.
8. Dankgebet nach dem Abendmahl — gesprochen vom Pfarrer

IV. Schlussliturgie des Gottesdienstes

1. Antiphone — Versikel aus der Bibel gesungen, wechselweise vom Pfarrer und von der Gemeinde
2. Salutatio (gesungen)
3. Kollektengebet — gesungen vom Pfarrer. Gem.: Amen, Amen, Amen
4. Aaronitischer Segen — gesungen vom Pfarrer. Gem.: Amen, Amen, Amen
5. Lied zum Ausgang

Solche Abendmahlsgottesdienste werden in der Slowakischen Evangelischen Kirche Augsburgischen Bekenntnisses einige Male im Jahr gefeiert, besonders bei der Konfirmation, am Bußtag, am Gründonnerstag usw. Normalerweise wird aber Beichte und Abendmahl (monatlich) nur vor oder (in anderen Gemeinden) nach den Predigtgottesdiensten gefeiert.

5. Die Liturgie der Abendmahlsfeier der Evangelisch-Lutherischen Kirche im Königreich der Niederlande.

1. Vorbereitung mit oder ohne Schuldbekenntnis („confiteor")
2. Introitus
3. Kyrie, Gloria
4. Collecta
5. Die Lesungen
   Die Lesung aus dem Alten Testament
   Der Gradualpsalm wird gesungen aus dem Genfer Psalter
   Die Lesung der Epistel
   Hallelujaspruch und Singen des Halleluja
   Das Graduallied (Wochenlied)
   Die Lesung des Evangeliums
   G.: Lof zij U, o Here.
6. Credo
   Das Credo kann gelesen oder gesungen werden (das Letzte in der holländischen Übersetzung des „Wir glauben all"). Es kann auch nach der Predigt gelesen oder gesungen werden, bei Abendmahlsfeier ist das vorgeschrieben.
7. Predigt
8. Predigtlied
   Vor oder während des Liedes findet die Einsammlung statt.
9. Fürbitten
   Meistens in der Form einer Litanei mit „Heer, ontferm U", gesprochen von der Gemeinde.
10. Präfation (antiphonisch) mit Danksagung de tempore
11. Sanctus und Benedictus
12. Abendmahlsgebet (Anamnese und Epiklese)
13. Einsetzungsworte. Die Einsetzungsworte können auch in das Abendmahlsgebet aufgenommen werden. Auch in diesem Falle wird das Gebet mit dem Vater unser abgeschlossen.
14. Vater unser
15. Agnus Dei oder Lobgesang aus der Didache
16. Austeilung
17. Postcommunio

1955 erschien das erste Gesangbuch der Evangelisch-Lutherischen Kirche in Holland, das ganz aus der Liturgie heraus entwickelt wurde. Die Liturgie selbst folgte den letzten Entwicklungen auf diesem Gebiete in der internationalen lutherischen Welt, vor allem in Deutschland und Amerika.

1973 wurde diese Liturgie beim Erscheinen des neuen ökumenischen Gesangbuches fast ungeändert wieder in das Buch aufgenommen. Wohl wurden einige Wechselmöglichkeiten hinzugefügt, eine alttestamentliche Lesung festgelegt und ein Anamnesegebet in die Eucharistiefeier aufgenommen.

6. Hauptgottesdienst mit Abendmahl der Kirche von Schweden

I. Einleitung

1. Eingangslied oder Introitus
2. Beichte: Beichtrede, Sündenbekenntnis mit Absolution und Dankgebet
3. Herr, erbarme dich (Kyrie)
4. Lobgesang (Gloria und Laudamus)

II. Der Wortgottesdienst

5. Kollektengebet
6. Textlesung, Alttestamentlicher Text und / oder Epistel
7. Graduallied
8. Evangelium
9. Predigt
10. Das apostolische oder nizänische Glaubensbekenntnis
11. Abkündigungen
12. Allgemeines Fürbittengebet

III. Der Abendmahlsgottesdienst

13. Zurüstung (Offertorium)

Ein Rüstlied wird gesungen. Kirchenälteste und andere Helfer können unterdessen die Abendmahlsgeräte herbeibringen. Auch die Kollekte kann vorgetragen werden.
Die Helfer und der Liturg können beten:

Herr, vom Deinigen geben wir dir.
Nimm uns und unsere Gaben an um Jesu Christi willen.
Alle: Amen.

14. Lobpreis

Sursum corda

Liturg: Erhebet eure Herzen.
Gemeinde: Wir erheben sie zum Herrn.
Liturg: Lasset uns Dank sagen dem Herrn unserem Gotte.
Gemeinde: Er allein ist unseres Lobes würdig.

Präfation

Liturg: Ja wahrlich, du allein bist unseres Lobes würdig,
allmächtiger Vater, heiliger Gott.
Dich wollen wir preisen und segnen
durch Jesus Christus, unseren Herrn.

Es folgt nun ein vom Kirchenjahr bestimmter Abschnitt (10 Alternativen) und darauf ein und derselbe Abschluß.

Abschluß

Liturg: Darum wollen wir mit deinen Getreuen allezeit
und mit allen himmlischen Heerscharen
deinen Namen preisen und anbetend singen:

Sanctus

Alle: Heilig, heilig, heilig ist Gott, der Herr Zebaoth.
Himmel und Erde sind deiner Herrlichkeit voll.
Hosianna in der Höhe.
Gelobet sei der da kommt im Namen des Herrn.
Hosianna in der Höhe.

15. Abendmahlsgebet

Der Liturg liest eines der Gebete A—C.

Abendmahlsgebet A

Liturg: Gelobet seist du, Herr des Himmels und der Erde,
der du dich über uns Menschen erbarmt hast
und deinen eingeborenen Sohn gabst,
auf daß alle, die an ihn glauben,
nicht verloren werden, sondern das ewige Leben haben.
Wir danken dir für das Heil,
das du uns durch Jesus Christus bereitet hast.
Sende deinen Geist in unsere Herzen,

auf daß er einen lebendigen Glauben in uns entzünde.
Heilige auch durch deinen Geist dies Brot und diesen Wein,
Gaben der fruchtbaren Erde und menschlicher Arbeit,
die wir vor dich bringen,
so daß wir durch sie teilhaben an
unseres Herrn Jesu Christi wahrem Leib und Blut.
In der Nacht, da er verraten ward,
nahm er das Brot, dankte und brach's
und gab's seinen Jüngern und sprach:
Nehmet hin und esset.
Das ist mein Leib,
der für euch gegeben wird.
Solches tut zu meinem Gedächtnis.
Desgleichen nahm er auch den Kelch, dankte
und gab ihn den Jüngern und sagte:
Trinket alle daraus,
dieser Kelch ist der neue Bund in meinem Blut,
das für viele vergossen wird zur Vergebung der Sünden.
Solches tut, so oft ihr's trinkt,
zu meinem Gedächtnis.
Daher feiern wir, heiliger Vater, dieses Mahl
zum Gedächtnis an das Leiden und Sterben,
die Auferstehung und Himmelfahrt deines Sohnes.
Wir essen vom Brot des Lebens
und trinken aus dem Kelch des Segens
bis zu dem Tage seiner Wiederkunft in Herrlichkeit.
Wir bitten dich:
Siehe an das vollkommene und ewige Opfer,
mit dem du in Christus uns mit dir versöhnt hast.
Laß uns alle durch den heiligen Geist zu einem einzigen Leib vereinigt
und zu einem lebendigen Opfer in Christus vollendet werden.
Durch ihn und mit ihm und in ihm
sei dir, allmächtiger Gott und Vater, in der Einheit des heiligen Geistes
Ehre und Herrlichkeit von Ewigkeit zu Ewigkeit.
Alle: Amen.

Abendmahlsgebet B

Liturg: Wir loben dich, Gott, der du Himmel und Erde in deiner Hand hältst.
In dir leben wir, in dir bewegen wir uns und in dir sind wir.
Deine Gnade ist besser als Leben. Dich wollen unsere Lippen preisen.
Wir danken dir dafür, daß du deinen Sohn gesandt hast, die Welt zu retten.
Du ließest ihn den Tod am Kreuz erleiden, um ihn dadurch zu erhöhen
und ihm den Namen zu geben, der über allen Namen ist.
Laß deinen Geist uns und diese unsere Gaben von Brot und Wein anrühren,
so daß wir durch sie teilhaben an Christi Leib und Blut.
In der Nacht, da er verraten ward,
nahm er das Brot, dankte und brach's
und gab's seinen Jüngern und sprach:
Nehmet hin und esset.
Das ist mein Leib,
der für euch gegeben wird.
Solches tut zu meinem Gedächtnis.
Desgleichen nahm er auch den Kelch, dankte
und gab ihn den Jüngern und sagte:
Trinket alle daraus,
dieser Kelch ist der neue Bund in meinem Blut,
das für viele vergossen wird zur Vergebung der Sünden.
Solches tut, so oft ihr's trinkt,
zu meinem Gedächtnis.
Alle: Seinen Tod verkünden wir,
seine Auferstehung bekennnen wir,
bis daß er wiederkommen wird in Herrlichkeit.
Liturg: Heiliger Vater, wenn wir das Gedächtnis unseres Heilandes feiern,
läßt du uns teilhaben an seinem Leben,
seinem Tod und seiner Auferstehung, seiner himmlischen Herrlichkeit.
Hier sind sein Leib und sein Blut,
die uns mit dir versöhnt haben.
Laß uns alle durch deinen Geist eins in ihm werden,

auf daß wir sein Leben in der Welt offenbaren können.
Laß den Tag bald kommen,
an dem du neue Himmel erschaffst und eine neue Erde, auf der Gerechtigkeit wohnt.
Dir wollen wir lobsingen und dich verherrlichen
durch Jesus Christus im Heiligen Geist, jetzt und alle Zeit und in Ewigkeit.
Alle: Amen.

Abendmahlsgebet C

Liturg: Wir danken dir, Herr Himmels und der Erden,
der du deine Hand auftust und alles Lebendige mit deiner Gnade sättigst.
Du gibst uns das tägliche Brot, Gesundheit und Kraft.
Aus dem Korn der Äcker und den Trauben der Berge
bereitest du Brot und Wein.
Du deckst uns deinen Tisch.
Laß deinen Geist über uns und diese Gaben kommen,
auf daß wir teilhaben an
dem himmlischen Brot und dem Kelch des Segens,
welche sind Christi Leib und Blut.
In der Nacht, da er verraten ward,
nahm er das Brot, dankte und brach's
und gab's seinen Jüngern und sprach:
Nehmet hin und esset.
Das ist mein Leib,
der für euch gegeben wird.
Solches tut zu meinem Gedächtnis.
Desgleichen nahm er auch den Kelch, dankte
und gab ihn den Jüngern und sagte:
Trinket alle daraus,
dieser Kelch ist der neue Bund in meinem Blut,
das für viele vergossen wird zur Vergebung der Sünden.
Solches tut, so oft ihr's trinkt,
zu meinem Gedächtnis.
Alle: Seinen Tod verkünden wir,
seine Auferstehung bekennen wir,
bis daß er wiederkommen wird in Herrlichkeit.

Das Gebet wird in einer der beiden folgenden Formen fortgesetzt.

Liturg: Hier sehen wir das Leiden und Sterben deines Sohnes,
seine Auferstehung von den Toten
und sein Leben in Herrlichkeit bei dir.
Hier begegnen wir ihm, der für uns bittet
und der kommen wird, zu richten die Lebendigen und die Toten
an dem Tag, den du bestimmst.
Wir danken dir, Gott,
für die Verheißung neuer Himmel und einer neuen Erde,
auf der Gerechtigkeit wohnt.
Wir danken dir für die Hoffnung auf eine selige Auferstehung
durch deinen Sohn, unseren Heiland.

Alle: Amen.

oder

Liturg: Laß alle, die dieses Brot und diesen Kelch teilen
durch den heiligen Geist zu einem einzigen Leib vereinigt
und zu einer lebendigen Opfergabe in Christus vollendet werden,
dir zu Ehre und Preis.

Alle: Amen.

16. Vater unser

Als Einleitung kann der Liturg sagen:

Im heiligen Geist und mit allen deinen Gläubigen
beten wir das Gebet, das dein Sohn uns selbst gelehrt hat.

oder

Laßt uns nun alle beten, wie es unser Herr Jesus Christus uns selbst gelehrt hat.

17. Brotbrechen (Dies Moment kann fehlen)

Der Liturg nimmt ein Abendmahlsbrot und bricht es während der Worte:

Alle: Das Brot, das wir brechen, ist eine Teilhabe an Christi Leib.
So sind wir, obgleich viele, ein einziger Leib,
denn wir alle erhalten Teil an diesem einen Brot.

18. Der Friede des Herrn (Pax)

Liturg: Der Friede des Herrn sei mit euch.

Der Friedensgruß kann ausgewechselt werden.

19. O Lamm Gottes (Agnus Dei)

20. Das Mahl (Die Kommunion)
Der Liturg kann sagen:
Kommt, es ist alles bereitet.
Der Liturg sagt zu einem jeden Kommunikanten:
Christi Leib, für dich gegeben.
Christi Blut, für dich vergossen.
Nimmt der Kommunikant gleichzeitig Brot und Wein entgegen (Intinktion), so sagt der Liturg: Christi Leib und Blut, für dich gegeben.
Nach der Austeilung:
Liturg: Wir haben Christi Leib und Blut empfangen.
Er bewahre uns zum ewigen Leben.
Alle: Amen.

21. Gebet nach dem Mahl (10 Postcommunio-Alternative, z. B.)
(Allgemein)
Liturg: Wir danken dir, unser Gott und Vater,
weil du durch deinen Sohn Jesus Christus
das heilige Abendmahl gestiftet hast
zu unserem Trost und unserer Seligkeit.
Wir bitten dich:
gib uns die Gnade, Jesu Gedächtnis auf Erden so zu feiern,
daß wir an dem großen Abendmahl im Himmel teilhaben dürfen.
Du, der du lebst und regierst in Ewigkeit.
Alle: Amen.
oder (Trinitatiszeit)
Liturg: Dank sei dir Herr für deine Gaben.
Dank sei dir für deine Liebe, deine Vergebung, deine Nähe.
Herr, bleibe bei uns.
Dank sei dir dafür, daß wir dich im Herzen tragen,
wenn wir von diesem Abendmahl gehen.
Hilf uns, deine Liebe weiterzugeben.
Dein ist die Kraft und die Ehre in Ewigkeit.
Alle: Amen.
oder (allgemein)

Liturg: Wir danken dir, Herr,
für das Geheimnis deines Sakramentes, das wir mit dir teilen durften.
Wie das Brot und der Wein eins werden mit unserem Leib,
und erquicken und erneuern,
so bist du selbst vereint mit unserem ganzen Wesen.
Gestärkt durch dein Mahl brechen wir fröhlich auf
und lobpreisen deine ewige Gegenwart.
Alle: Amen.

IV. Abschluss

Eine der beiden Alternativen kann gebraucht werden:

A.

22. Danket und lobet den Herrn (Benedicamus)
23. Der Segen
24. Ausgangslied
25. Postludium

oder

B.

22. Loblied
23. Der Segen
24. Die Sendung
    Liturgie: Gehet hin in Frieden und dienet dem Herrn mit Freude.
    oder
    Liturgie: Lasset uns in Frieden gehen
    Alle: Im Namen unseres Herrn Jesus Christus
25. Postludium

Die hier abgedruckte neue Ordnung des Hauptgottesdienstes der Kirche von Schweden wurde von der Kirchensynode 1975 festgelegt und ab ersten Sonntag im Advent 1976 als Alternative zur alten Ordnung von 1942 in Gebrauch genommen. Über die Einführung der neuen Ordnung entscheidet in jeder Gemeinde der Pfarrer im Einverständnis mit dem Kirchenrat.

1. DIE GEGENWART CHRISTI IN DER EUCHARISTIE

In der Abgrenzung insbesondere von den Schwärmern und den Anhängern Zwinglis haben die lutherischen Reformatoren in grundsätzlicher Übereinstimmung mit der katholischen Kirche betont: Im Abendmahl ist Jesus Christus, in seinem Leib und Blut, wahrhaft gegenwärtig und läßt sich unter der Gestalt von Brot und Wein von uns nehmen; diese Gegenwart vollzieht sich in der Kraft des Heiligen Geistes durch das Wort; sie ist nicht durch den Glauben der Gemeinde oder des einzelnen bewirkt, wohl aber auf den Glauben ausgerichtet. In der Confessio Augustana (X) heißt es:
„Von dem Abendmahl des Herren wird also gelehrt, daß wahrer Leib und Blut Christi wahrhaftiglich unter der Gestalt des Brots und Weins im Abendmahl gegenwärtig sei und da ausgeteilt und genommen werde". Nach der Apologie vertreten die Anhänger der lutherischen Reformation die in der ganzen Kirche angenommene Lehre, „daß im Mahl des Herrn wahrhaft und wesentlich (vere et substantialiter) Leib und Blut Christi gegenwärtig sind und wahrhaft dargereicht werden mit den Dingen, die gesehen werden, Brot und Wein (cum his rebus, quae videntur, pane et vino)"[1]. Leib und Blut Christi werden „nicht allein gereicht und empfangen von frommen, sondern auch von bösen Christen"[2].
Unterschiede der Lehre bestanden und bestehen im wesentlichen nur an zwei Punkten:

1. *Im Blick auf die Art der Realpräsenz (modus praesentiae)*

Luther verwirft die Transsubstantiationslehre, sofern sie mit ihren philosophischen Implikationen als ein das Gewissen bindendes Dogma verstanden wird[3]. Wenn Luther in der Schrift

[1] Ap. X, 1.4 (BSLK 247f).
[2] SA III, 6 (BSLK 451); vgl. CA X, 1: „... distribuantur vescentibus"; Ap. X, 1: „... vere exhibeantur ... his, qui sacramentum accipiunt".
[3] Als Schulmeinung läßt Luther sie in „De captivitate Babylonica" und in einem Brief an die Evangelischen in Venedig, Vicenza und

„De captivitate Babylonica“ gegen „jenes Babylon jener Philosophie von der fortbestehenden Quantität, die von der Substanz geschieden ist“ (Babylonia illa philosophiae istius de quantitate continua distincta a substantia)[4] polemisiert, wird deutlich, daß er im Gefolge der ockhamistischen Aristoteles-Interpretation und Philosophie, für die die Quantität nicht von der Substanz geschieden werden kann, die thomistische Erklärung der Transsubstantiationslehre bekämpft[5]. Durch diese im Unterschied zum Verständnis der Hochscholastik erfolgte Veränderung des Substanzbegriffes ist bis in die Gegenwart ein sachgerechtes Verständnis der Transsubstantiationslehre erschwert[6]. Die Schmalkaldischen Artikel sehen in ihr eine sophistische Subtilität. Die Konkordienformel verwirft die Transsubstantiationslehre zusammen mit der Lehre, daß „der Leib und Blut Christi localiter, das ist, räumlich ins Brot eingeschlossen“ sei[7]. Der Aufforderung der Confutatio, sich explizit zur Transsubstantiationslehre zu bekennen[8], folgt die Apologie nicht, sondern antwortet darauf mit dem Hinweis, daß man an die „leibliche Gegenwart Christi“ glaube und sich so mit der römischen Kirche in Übereinstimmung befinde, ebenso wie mit der „griechischen Kirche“, wenn diese sage, daß das Brot nicht ein bloßes Abbild sei, sondern daß es wahrhaft in das Fleisch Christi „gewandelt“ sei[9].

Es ist die Frage, ob eine katholisch/lutherische Verständigung in

Treviso vom Jahre 1543 gelten: WA 6, 508; 27; WABr 10, 331; 84f.

4 WA 6, 510; 13f.

5 Vgl. L. Grane, Luthers Kritik an Thomas von Aquin in De captivitate Babylonica, in: ZKG 80, 1969, 1-13; H. Hilgenfeld, Mittelalterlich-traditionelle Elemente in Luthers Abendmahlsschriften (Zürich 1971) 183ff, 407; E. Iserloh, Gnade und Eucharistie in der philosophischen Theologie des Wilhelm von Ockham (Wiesbaden 1956) 175-253.

6 Vgl. J. Ratzinger, Das Problem der Transsubstantiation und die Frage nach dem Sinn der Eucharistie, in: TQu 147, 1967, 129-158.

7 SA III, 6 (BSLK 452); SD VII, 14 (BSLK 977); FC Ep. VII, 22 (BSLK 801); FC SD VII, 35 u. 108 (BSLK 983 u. 1010).

8 CR 27, 107.

9 Ap. X, 2 (BSLK 248). Vgl. WA 2, 749, 12; 8, 435, 1; 8, 438, 3; 30 I, 122, 20f; 38, 248, 28; V. Vajta, Die Theologie des Gottesdienstes bei Luther (Göttingen 2, 1954) 185, Anm. 93.

der eucharistischen Lehre und Praxis durch diesen Unterschied im Verständnis der Weise der Realpräsenz gefährdet oder verhindert wird. Das braucht nicht der Fall zu sein, wenn einmal die Wirklichkeit der Realpräsenz von beiden Seiten hinreichend klar und eindeutig bekannt wird und zum anderen der *Geheimnischarakter* der Eucharistie und der eucharistischen Gegenwart des Herrn bejaht und die bleibende Differenz zwischen Form und Inhalt einer gelehrten Glaubenswahrheit ernst genommen wird[10]. Der Bericht des katholisch/lutherischen Dialogs in den USA kann in diesem Sinne sagen: „Unsere Gespräche haben uns sowohl von der Legitimität als auch von den Grenzen theologischer Bemühungen, das Geheimnis der Gegenwart Christi im Sakrament zu erklären, überzeugt. Wir sind auch davon überzeugt, daß bei diesem theologischen Unternehmen nicht nur ein einziges Vokabular oder eine bestimmte Begrifflichkeit allein angemessen, exklusiv oder endgültig sein kann“[11].

Die Lutheraner sollten deshalb in der katholischen Lehre von der Transsubstantiation keinen rationalistischen Versuch erblicken, das Geheimnis der Gegenwart Christi im Sakrament zu erklären, sondern diese Lehre „als eine nachdrückliche Bejahung der Gegenwart von Leib und Blut im Sakrament“ verstehen[12]. Sie sollten darum nicht mehr bei ihrer Verwerfung dieser Lehre beharren, auch wenn sie selbst diese Lehre und den Begriff der „Wandlung“ nicht übernehmen.

Die Katholiken sollten anerkennen, daß eine klare und unzweideutige Bejahung der Realpräsenz Christi, wie sie auf lutherischer Seite gegeben ist, nicht mehr unter ein „anathema sit“ fallen kann, auch dann nicht, wenn der Begriff der Trans-

[10] Das Wissen um die Unzulänglichkeit und Inadäquatheit menschlicher Sprache gerade bei der Beschreibung der eucharistischen Gegenwart Christi zeigt sich nicht nur in dem lutherischen Verzicht auf eine Definition der Art der Realpräsenz, sondern spricht sich auch im tridentinischen Dekret über die Eucharistie aus: Die Weise der sakramentalen Gegenwart Christi ist eine solche, „die wir zwar kaum mit Worten auszudrücken vermögen, die wir aber dennoch mit der vom Glauben erleuchteten Vernunft als für Gott möglich erkennen können und standhaft glauben müssen“ (DS 1636).

[11] I, II 2 C.

[12] USA I, II 2 C a.

substantiation bzw. der Wandlung der Substanz des Brotes und Weines nicht übernommen wird[13].

2. Im Blick auf die Dauer der sakramentalen Gegenwart Christi

Das Tridentinum verwirft die Auffassung, daß Leib und Blut Jesu Christi „tantum in usu, dum sumitur, non ante vel post" gegenwärtig seien[14]. Damit trifft es nicht die lutherische Auffassung. „Es ist kaum ein Zweifel darüber möglich, daß Luther eine Realpräsenz ante und post sumptionem gekannt hat, also eine wirkliche Dauer der Realpräsenz[15]." Auch die Behauptung der lutherischen Bekenntnisschriften „Nihil habet rationem sacramenti extra usum a Christo institutum oder extra actionem divinitus institutam"[16] bedeutet nicht die Begrenzung der sakramentalen Gegenwart auf den Empfang der Elemente. „Usus" und „actio" meinen, wie es dort ausdrücklich heißt, „nicht allein die mündliche Nießung, sondern die ganze äußerliche, sichtbare, von Christus geordnete Handlung des Abendmahls"[17].

Katholiken und Lutheraner können also gemeinsam sagen: „Der wahre Leib und das wahre Blut Christi sind nicht nur während des Empfangs, sondern während der ganzen eucharistischen Handlung gegenwärtig[18]."

Das rechtfertigt, ja fordert auch für Lutheraner während der liturgischen Handlung eine Haltung der Ehrfurcht gegenüber den konsekrierten Elementen als Trägern der Gegenwart

13 Vgl. DS 1652. „Transsubstantiation" bedeutet keinen Gegensatz zu „Konsubstantiation", „wenn letztere einfach sagen soll, daß Brot und Wein als physikalisch-chemische Größen unverändert weiter bestehen" (J. Ratzinger, in: ThQ 147, 1967, 153).

14 DS 1654.

15 H. Grass, Die Abendmahlslehre bei Luther und Calvin, 1954, 115.

16 FC SD VII, 85 (BSLK 1001); vgl. Luther: „... extra usum nihil sit sacramentum", zit. nach Grass, a.a.O. 120.

17 Ibid.

18 USA I, II 1 e; die Gruppe von Dombes, I, Nr. 19, und das Dokument der Kommission für Glauben und Kirchenverfassung, Accra I, Nr. 34, scheinen noch weiter zu gehen, wenn es dort heißt: „Was als Leib und Blut Christi gegeben ist, bleibt als Leib und Blut Christi gegeben und muß dementsprechend behandelt werden."

Christi[19]. Im Bericht des USA-Dialogs sagen Katholiken und Lutheraner gemeinsam: „Wir stimmen ... darin überein, daß Gottesdienst, Verehrung und Anbetung so lange angemessen sind, wie Christus sakramental gegenwärtig bleibt[20]."

Eine bleibende Divergenz besteht allerdings in der Frage der Aufbewahrung und Verehrung der nicht ausgeteilten geweihten Hostie nach der eucharistischen Feier.

Die Reformatoren fordern zwar eine Haltung des Respektes gegenüber den verbleibenden konsekrierten Elementen[21], aber sie verurteilen den katholischen Brauch, daß „das Brot in das Sakramentshäuslein eingeschlossen und zum Schauspiel und anzubeten umhergetragen wird"[22], da das Abendmahl und die Gegenwart Christi ganz auf den Empfang ausgerichtet sind.

Katholischerseits wird zwar auch gesagt, daß nicht die Anbetung, sondern der Gebrauch der geweihten Hostie für die Krankenkommunion der „erste und ursprüngliche Zweck" der Aufbewahrung der geweihten Hostie ist[23]. Jedoch muß zugleich gesehen werden, „daß die Anbetung des reservierten Sakraments in hohem Maße ein Teil katholischen Lebens und eine bedeutsame Form der Frömmigkeitspraxis der Katholiken für viele Jahrhunderte gewesen ist"[24].

Der hier noch verbleibende Unterschied zwischen katholischer und lutherischer Praxis braucht jedoch das gemeinsame Bekenntnis zur Realpräsenz Christi nicht rückwirkend in Frage zu stellen. Er ist eng verbunden mit der unterschiedlichen Auffas-

19 Die mit den Einsetzungsworten verbundene Elevation und Adoration sind darum von Luther nicht abgeschafft worden; vgl. Grass, a.a.O. 115f. Die Konkordienformel verwirft eine Anbetung der „äußerlich sichtbaren Elemente", der „sichtbaren species oder Gestalt von Brot und Wein", nicht jedoch des im Abendmahl wahrhaft und wesentlich gegenwärtigen Herrn: FC Ep. VII, 40 (BSLK 803); FC SD VII, 126 (BSLK 1016).

20 I, II, 2 A c.

21 Luther z. B. kann den Rat geben, das „reliquum sacramenti cum communicantibus ebibere et comedere" oder sie zu verbrennen (Grass, a.a.O. 119); auch können die verbleibenden Elemente in privaten Abendmahlsfeiern an Kranke ausgeteilt werden (Grass, a.a.O. 120; vgl. USA I, II, 7 A e.

22 FC SD VII, 108 (BSLK 1010; vgl. S. 1001).

23 Instructio de cultu mysterii eucharistici Nr. 49.

24 USA I, II 2, A f Anm. 29.

sung des modus praesentiae und braucht — wie diese — nicht das „Daß" der Realpräsenz zu berühren.
Der Unterschied verliert, von katholischer Seite gesehen, auch dadurch an Gewicht, daß z. B. das Tridentinum die Aufbewahrung der Hostie als „Gewohnheit" (consuetudo) und „Sitte" (mos) bezeichnet, die freilich beibehalten werden sollen und nicht verboten werden dürfen[25].
Von lutherischer Seite gesehen ist es jedoch wichtig, daß die katholische Sitte der Aufbewahrung und damit verbunden der Verehrung der verbleibenden Hostie wie auch die Prozessionspraxis das Wesen der Eucharistie, insbesondere ihre Ausrichtung auf die Kommunion nicht verdunkelt. Die katholische Kirche scheint heute dieses Anliegen grundsätzlich zu teilen, wenn z. B. die Instructio de cultu mysterii eucharistici die „devotio erga altaris Sacramentum etiam extra Missam" zwar empfiehlt, zugleich aber — mit der Konstitution des Vatikanum II über die heilige Liturgie[26] — feststellt: „Diese Übungen und Feiern sollen indes die liturgische Zeit gebührend berücksichtigen und so geordnet sein, daß sie mit der heiligen Liturgie zusammenstimmen, gewissermaßen aus ihr herausfließen und das Volk zu ihr hinführen; denn sie steht von Natur aus weit über ihnen"[27].

Harding Meyer / Vinzenz Pfnür

2. EUCHARISTIE - WORT - VERKÜNDIGUNG

Für katholische und lutherische Auffassung galt und gilt gleichermaßen, daß das Wort — als Einsetzungsworte — in der Eucharistie einen zentralen Platz hat: Brot und Wein werden „kraft des Heiligen Geistes ... durch das schöpferische Wort Leib und Blut Christi"[1]. Das Wort konstituiert als Konsekrationswort die sakramentale Gegenwart Christi.
Die Reformation hat jedoch gegenüber der damaligen katho-

[25] DS 1645; vgl. 1657. [26] Nr. 13.
[27] Instructio de cultu mysterii eucharistici Nr. 58.
[1] S. o. Das Herrenmahl Nr. 22. Das lutherische „virtute et potentia verborum" (FC SD VII, 75 = BSLK 998) entspricht dem katholischen „ex vi verborum" (DS 1640; vgl. USA-Dialog, I, II 1c; Dombes I, Nr. 19, „Windsor-Erklärung" Nr. 10).

lischen Theologie betont, daß die Einsetzungsworte nicht nur als Konsekrationsworte verstanden werden dürfen. Sie sind zugleich an die feiernde Gemeinde gerichtete Verheißungsworte, die die Gabe der Eucharistie den Glaubenden zusprechen und so mit dem leiblichen Essen auch das geistliche Essen, d. h. den Empfang des Sakraments im Glauben ermöglichen. Sie sind schließlich Verkündigungsworte, die als „summa et compendium evangelii“[2] das gesamte Heilsgeschehen verkündigen. Von daher forderten und praktizierten die Reformatoren das „deutliche“, „klare“ und „öffentliche“, d. h. an die versammelte Gemeinde gerichtete Aussprechen der Einsetzungsworte[3]. Daraus ergab sich zugleich die Forderung nach dem Gebrauch der Volkssprache und eine entsprechende liturgische Praxis[4]. Über das Verständnis der Einsetzungsworte als Verheißungs- und Verkündigungsworte hinaus betonen die Reformatoren die Notwendigkeit der Predigt im eucharistischen Gottesdienst[5]. Dem sind die lutherischen Kirchen in ihrer liturgischen Praxis gefolgt, indem sie die Predigt zu einem festen Bestandteil ihrer Abendmahlsgottesdienste machten.

[2] WA 6, 525; vgl. WA 8, 447 u. ö.

[3] FC SD VII, 79-82 (BSLK 999f): „Nur sollen die Worte der Einsetzung in der Handlung des heiligen Abendmahls öffentlich vor der Versammlung deutlich und klar gesprochen oder gesungen und keineswegs unterlassen werden, damit dem Befehl Christi: das tut, Gehorsam geleistet und der Zuhörer Glaub von Wesen und Frucht dieses Sakraments (von der Gegenwärtigkeit des Leibs und Bluts Christi, von Vergebung der Sünden und allen Guttaten, so uns durch Christi Tod und Blutvergießen erworben und im Testament Christi geschenkt sind) durch Christi Wort erwecket, gestärkt und vergewissert, und die Elemente des Brots und Weins in diesem heiligen Brauch, daß uns damit Christi Leib und Blut zu essen und zu trinken gereicht werde, geheiligt oder gesegnet werden, wie Paulus spricht: ‚Der gesegnete Kelch, den wir segnen‘; welches ja nicht anders, denn durch Wiederholung und Erzählung der Worte der Einsetzung geschiehet“.

[4] Luthers „Deutsche Messe“, 1526 (WA 19, 70ff).

[5] Nach Luther ist die Predigt „das, was Jesus mit seiner Aufforderung zum Gedächtnis an ihn meinte“ (V. Vajta, Die Theologie des Gottesdienstes bei Luther, 1952, S. 152; vgl. S. 151-157). „... do der herr die mess einsetzt, sprach er ‚das sollet yhr thun, meyn da bey zu gedenken‘, als solt er sagen ‚Als offt yhr diss sacrament und testament handelt, solt yhr von mir predigen“ (WA 6, 373).

Die daraus sich ergebenden Unterschiede zur katholischen Auffassung und Praxis werden heute durch neue Entwicklungen mehr und mehr überbrückt:
Katholischerseits wird der Verkündigungscharakter der Eucharistie als ganzer gesehen[6]; der Gebrauch der Volkssprache ist stärker gewährleistet und wird weitgehend praktiziert[7]; die enge Verbindung von Wortverkündigung bzw. Wortgottesdienst und eucharistischer Feier wird hervorgehoben — beides bildet „einen einzigen gottesdienstlichen Akt" (unum actum cultus) — und es wird betont: „... in der Gemeinschaft der Christen fordert die Verwaltung der Sakramente die Verkündigung des Wortes ..., sind doch die Sakramente Geheimnis des Glaubens, der aus der Predigt hervorgeht und durch die Predigt genährt wird"[8].
Lutherischerseits sieht und kritisiert man, daß in der Vergangenheit das Abendmahl in den reformatorischen Kirchen oft als bloßes Anhängsel zum Wortgottesdienst erschien und nur noch gelegentlich gefeiert wurde; man betont demgegenüber heute die Einheit und Zusammengehörigkeit von Predigt und Abendmahl. Die meisten nach 1945 beschlossenen lutherischen Gottesdienstordnungen sehen deshalb den „Vollgottesdienst" mit Predigt und Abendmahl als Normalfall vor[9].

Harding Meyer

6 S. o. Das Herrenmahl Nr. 26. Dieser Verkündigungscharakter der Eucharistie zeigt sich in dem heute wieder stärker betonten Verständnis der Eucharistie als „Memorial" oder „Anamnese". Vgl. Dombes I, Nr. 9: „Christus hat die Eucharistie als Memorial (Anamnese) seines ganzen Lebens, vornehmlich seines Kreuzes und seiner Auferstehung, eingesetzt ... Das Memorial ist die wirksame Verkündigung des großen Werkes Gottes durch die Kirche"; vgl. auch das Dokument „Die Eucharistie", Accra Nr. 8.

7 Vatikanum II, Sacrosanctum Concilium, Nr. 36: „Da bei der Messe, bei der Sakramentenspendung und in anderen Bereichen der Liturgie nicht selten der Gebrauch der Muttersprache für das Volk sehr nützlich sein kann, soll es gestattet sein, ihr einen weiteren Raum zuzubilligen ..."; vgl. Nr. 54 und 63.

8 Instructio de cultu mysterii eucharistici, Nr. 10; vgl. Vatikanum II, Sacrosanctum Concilium, Nr. 4.

9 Z. B. Lutherische Kirchen in den USA; Vereinigte Evangelisch-Lutherische Kirche Deutschlands (Agenda für evangelisch-lutherische Kirchen und Gemeinden, Erster Band — Ausgabe für den

3. DIE WIRKSAMKEIT DER SAKRAMENTE SOLA FIDE UND EX OPERE OPERATO

Das Konzil von Trient sieht in der protestantischen Lehre von der Rechtfertigung „allein durch den Glauben" eine Ablehnung der katholischen Auffassung von der Wirksamkeit der Sakramente „ex opere operato".

In Can. 8 der Canones de sacramentis in genere heißt es: „Wer sagt, durch die Sakramente des neuen Gesetzes selbst werde die Gnade nicht ex opere operato mitgeteilt, sondern allein der Glaube an die göttliche Verheißung zur Erlangung der Gnade genüge, der sei ausgeschlossen" (DS 1608).

Wenngleich in den lutherischen Bekenntnisschriften sowohl die Rechtfertigung „allein durch den Glauben" wie auch die Polemik gegen das „opus operatum" eine gewichtige Rolle spielen, so richtet sich dennoch weder das „sola fide" noch die polemische Ablehnung des „opus operatum" gegen die Lehre von der wirksamen Gnadenvermittlung durch die Sakramente. In Art. 4 der Apologie der Confessio Augustana verteidigen sich die Lutheraner gegen den Vorwurf, daß das „sola fide" gegen die Sakramente gerichtet sei: „Und durch das Wort SOLA, so wir sagen: allein der Glaub macht fromm, schließen wir nicht aus das Evangelium und die Sakrament, daß darum das Wort und Sakrament sollten vergeblich sein, so es der Glaub alles allein thut, wie die Widersacher uns alles gefährlich deuten; sondern unsern Verdienst daran schließen wir aus. Denn wir haben oben genug gesagt, daß der Glaub durchs Wort kommt; so preisen wir das Predigtamt und Wort höher und mehr denn die Widersacher ...[1]." In einem Schriftstück „Antwort auf die Verleumdungen derer, die sich katholisch nennen" vom 4. Sept. 1530 wird die Annahme der Einigungsformel, die auf dem Reichstag zu Augsburg im Vierzehnerausschuß erarbeitet wurde und in

Pfarrer — 1955: „Der vollständige Hauptgottesdienst ist Gottesdienst mit Predigt und heiligem Abendmahl ... Auch das heilige Abendmahl ... soll sonntäglich oder in bestimmter regelmäßiger Abfolge in und mit der ganzen Gemeinde öffentlich gefeiert werden" S. 41).

[1] BSLK 175, 11-18 dT. Vgl. lT: „Excludimus autem opinionem meriti. Non excludimus verbum aut sacramenta, ut calumniantur adversarii" 175, 3-6.

der es heißt, daß die Sündenvergebung instrumentaliter durch Wort und Sakrament zuteil wird[2], wie folgt begründet: „Und diese Worte nahmen die Lutherischen an, weil sie durch das Wort Sola nicht die Gnade noch das Wort oder die Sakramente ausschließen, sondern die Werke[3]."

1. Wirksamkeit der Sakramente

Nach dem Augsburgischen Bekenntnis sind die Sakramente „Mittel", „Instrumente", durch die Gott den Geist gibt, „den Glauben wirkt", „erweckt und stärkt" und „seine Verheißungen austeilt"[4]. Sie sind „wirksam", „efficax"[5], auch wenn der Priester, durch den sie gereicht werden, schlecht ist (CA 8). Die Sakramente sind für Melanchthon Zeichen, die das Heil bezeugen und zuwenden (signa testificantia et applicantia)[6]. „Sie sind Bericht und Überlieferung ... und sie vermitteln und vergegenwärtigen zugleich das in Christus Wirklichkeit gewordene Heil, sind Instrumente des Handelns Gottes hier und jetzt, in denen er (Christus, der Geist) am Werk ist und durch die er sein Heil dem Menschen gibt. Sie sind darum ‚efficax ad salutem'[7]."

1.1 *Taufe*

Noch 1525 predigt Luther, daß die Taufe ohne Glauben niemandem helfe und sie auch niemandem zu spenden sei, der nicht selber glaube. Diese und ähnliche Äußerungen warfen J. Eck in den Vierhundertundvier Artikeln, J. Fabri in den Antilogiarum

[2] Vgl. Pfnür, Einig in der Rechtfertigungslehre? (Wiesbaden 1970) 152, Anm. 83; H. Immenkötter, Um die Einheit im Glauben (Münster 1973) 39, Anm. 53. [3] Sch 254.

[4] CA 5 (BSLK 59,4ff); CA 13 (BSLK 68,6ff. 10f); vgl. St. A. V 137, 28f; 286, 17-25.

[5] BSLK 62, 10f. Vgl. Wittenberger Artikel von 1536: „Quod ad tertium decimum articulum confessionis nostrae attinet, docemus, quod sacramenta instituta sunt, non modo ut sint notae professionis inter Christianos, sed magis ut sint certa quaedam testimonia et *efficacia signa gratiae* et voluntatis Dei erga nos, hoc est, per quae Deus invisibiliter operetur in nobis et suam gratiam in nos invisibiliter diffundat" (Die Wittenberger Artikel von 1536, hrsg. von G. Mentz, Darmstadt 1968, 52,24-54,4).

[6] CR 24,70; vgl. K. Haendler, Wort und Glaube bei Melanchthon, (Gütersloh 1968) 169, Anm. 43.

[7] K. Haendler a.a.O. 167f; vgl. BSLK 247,1f.

Babylonia und die Responsio Catholica auf dem Reichstag zu Augsburg 1530 den Lutherischen vor[8].

Diese Hinweise katholischerseits auf frühere Äußerungen Luthers werden jedoch der lutherischen Position von 1530 insofern nicht gerecht, als in der Zwischenzeit Luther und Melanchthon in der Auseinandersetzung mit den Wiedertäufern, den Schwärmern und Zwingli die Frage der Wirksamkeit der Sakramente neu durchdacht hatten. So schreibt Melanchthon in seinen „Bedenken gegen die Wiedertäufer" von 1528: „Die Taufe bezeugt, daß sich die Vergebung der Sünden auf die Kinder erstreckt, auch wenn sie die Verkündigung des Wortes noch nicht verstehen[9]."

Ebenso bekennt sich Luther zur selben Zeit den Wiedertäufern gegenüber zur objektiven Wirkung der Sakramente. Für den Fall, daß die Taufe ohne Glauben empfangen worden sei, lehnt er eine Wiedertaufe ab: „Ja, es ist eine rechte taufe an yhr selbs, on das sie unrecht empfangen. Denn es sind die wort gesprochen und alles gethan was zur tauffe gehöret, so völlig, als geschicht, wenn der glawbe da were. Wenn nu ein ding an yhm selbst recht ist, so mus darumb nicht anders vernewet werden, obs gleich unrecht empfangen ist, Man thu das unrecht ab, so wirds alles recht on alle vernewerung. Abusus non tollit substantiam imo confirmat substantiam. Misbrauch endert keinem ding sein wesen, ia on wesen kan kein misbrauch sein[10]." Im Großen Katechismus Luthers heißt es: „wenn das Wort bei dem Wasser ist, so ist die Taufe recht, obschön der Glaube nicht dazu kömmpt; denn mein Glaube machet nicht die Taufe, sondern empfähet die Taufe. Nu wird die Taufe davon nicht unrecht, ob sie gleich nicht recht empfangen oder gebraucht wird, als die (wie gesagt) nicht an unsern Glauben, sondern an das Wort gebunden ist[11]."

1.2 *Buße, Absolution*

Im Unterschied zu Luther zählen die Confessio Augustana und die Apologie die Buße zu den Sakramenten im engeren

[8] Vgl. Pfnür, a.a.O. 214, Anm. 490.
[9] St. A. 1,284 20ff.
[10] WA 26,159,31-38; vgl. 162,9; 164,35ff; 506,13ff.
[11] BSLK 701,39-47.

Sinn[12]. Der Grund liegt darin, daß Melanchthon den Begriff der Materie des Sakramentes weiter faßt als Luther und darunter nicht nur das materielle Ding, sondern die ganze zeichenhafte Handlung (ceremonia, ritus, actio) versteht[13]. In der Auffassung von der Wirkung der Absolution stimmen Luther, Melanchthon und die Bekenntnisschriften überein. Ihre Aussagen sind auf dem Hintergrund der spätscholastischen Bußlehre zu werten[14]. Gegenüber Gabriel Biel, der in der Frage der Wirkkraft der Absolution auf den frühscholastischen Kontritionismus von Petrus Lombardus zurückgreift und der Absolution lediglich deklarative Funktion zuteilt, betonen die CA, die Apologie und der Luther von 1529/1530 die „Kraft" (vis) der Absolution und sehen in ihr das Hauptstück, das was die Buße zum Sakramente macht. „Darbei wird das Volk fleißig unterricht, wie trostlich das Wort der Absolution sei, wie hoch und teuer die Absolution zu achten. Dann es sei nicht des gegenwärtigen Menschen Stimme oder Wort, sondern Gottes Wort, der die Sunde vergibt. Dann sie wird an Gottes Statt und aus Gottes Befehl gesprochen[15]." „Die Gewalt der Schlüssel verwaltet und bietet das Evangelium dar durch die Absolution, die die wahre Stimme des Evangeliums ist. Und so schließen wir auch die Absolution mit ein, wenn wir vom Glauben reden, denn der Glaube kommt aus dem Gehör ... Und weil Gott wahrhaft durch das Wort lebendig macht, so vergeben die Schlüssel wahrhaft vor Gott die Sünden nach dem Spruch: Wer euch hört, hört mich. Darum sollen wir das Wort der Absolution nicht weniger achten noch glauben, als wenn wir Gottes klare Stimme vom Himmel hörten. Und die Absolution kann im eigentlichen Sinn das Sakrament der Buße genannt werden, wie

12 Ap, Art. 13: „Vere igitur sunt sacramenta Baptismus, coena Domini, absolutio, quae est sacramentum poenitentiae." (BSLK 292,24ff). In der CA sind die Artikel von der Beichte und Buße nach den Artikeln von der Taufe und Eucharistie und vor dem Artikel „Vom Gebrauch der Sakramente" eingeordnet. Vgl. u. Anm. 16.

13 Vgl. H. Fagerberg, Die Theologie der lutherischen Bekenntnisschriften von 1527-1537 (Göttingen 1965) 170.

14 Vgl. Pfnür, a.a.O. 77-82, 216-219. Auch der junge Luther vertrat bis etwa 1517 diese Auffassung. Vgl. WA 5, 125,23ff.

15 BSLK 97,37-98,7; Vgl. Schmalkaldische Artikel (BSLK 441,28f.); WA 30 II 287,27ff; 444; 453f; 468.

auch die gelehrteren scholastischen Theologen sagen" (Apologie, Art. 12)[16].

Im Kleinen Katechismus betont Luther, „daß man die Absolutio oder Vergebung vom Beichtiger empfahe als von Gott selbs und ja nicht dran zweifel, sondern feste gläube, die Sunde seien dadurch vergeben für Gott im Himmel"[17]. In der Schrift „Von den Schlüsseln" (August 1530) führt Luther aus: „Wir reden davon, was die schlüssel thun und geben. Wers nicht an nimpt, der hat freilich nichts, der Schlüssel feilet drumb nicht, Viel gleuben dem Euangelio nicht, Aber das Euangelion feilet und leugnet darumb nicht, Ein König gibt dir ein Schlos, Nimpstu es nicht an, So hat der König darumb nicht gelogen noch gefeilet, Sondern du hast dich betrogen, und ist deine schuld, Der König hats gewis gegeben[18]." „Meinestu aber, das der nicht gebunden sey, der dem Binde schlüssel nicht gleubet? Er sols wol erfahren zu seiner Zeit, das umb seines unglaubens willen das binden nicht vergeblich gewest ist, noch gefeilet hat. Also auch, Wer nicht gleubet, das er los sey und seine sund vergeben, der sols mit der zeit auch wol erfahren, wie gar gewis jhm seine sunde jtzt vergeben sind gewest, und ers nicht hat wöllen gleuben[19]."

1.3 *Eucharistie*

Zwingli formuliert in seinem Bekenntnis für den Reichstag zu Augsburg: „Ich glaube, daß in dem hl. Mahl der Eucharistie, d. h. der Danksagung, der wahre Leib Christi da ist, nämlich durch die Betrachtung des Glaubens[20]."

Melanchthon nimmt dazu in einem Gutachten vom 25. Juli 1530 Stellung: „Sie schmieren den Menschen Honig um den Mund, dadurch daß sie sagen, der Leib sei wahrhaftig da. Und doch fügen sie später hinzu: In der Betrachtung des Glaubens, d. h. durch die eigene Einbildung. So leugnen sie wieder die Realgegenwart[21]." Luther schreibt in seinem Bekenntnis vom

[16] BSLK 259,5-20.
[17] BSLK 517,13-17.
[18] WA 30 II 499,2-8.
[19] Ebd. 498,34-40; vgl. dazu WA 1,543,14f. 22ff = DS 1460.
[20] Zwingli, Fidei ratio, Art. 8: E. F. K. Müller, Die Bekenntnisschriften der reformierten Kirche, Leipzig 1903, 87,43f. CR II 223.
[21] CR 2,223.

Abendmahl Christi: „Ebenso rede ich auch und bekenne das sacrament des altars . . . es steht nicht auff menschen glauben oder unglauben, sondern auff Gotts wort und ordnung[22]." In den Schmalkaldischen Artikeln heißt es: „Vom Sakrament des Altars halten wir, daß [unter] Brot und Wein im Abendmahl sei der wahrhaftige Leib und Blut Christi [im Abendmahl] und werde nicht allein gereicht und empfangen von frommen, sondern auch von bosen Christen[23]."

Zusammenfassend ergibt sich:

Das, was nach katholischer Lehre mit dem Satz von der Wirksamkeit der Sakramente ex opere operato ausgesagt wird, ist der Sache nach auch lutherische Lehre: Das Gnadenangebot Gottes steht und fällt nicht mit dem Glauben oder Unglauben des Menschen. Die Wirksamkeit der Sakramente beruht nicht auf der Würdigkeit des Amtsträgers.

2. Die Polemik gegen das „opus operatum"

Wenn nun dennoch die lutherischen Bekenntnisschriften gegen den Ausdruck „ex opere operato" polemisieren, so ist ein zweifacher Hintergrund zu beachten:

2.1 „Opus operatum" im Zusammenhang der im Anschluß an Gabriel Biel interpretierten und Duns Skotus zugeschriebenen Sakramentenlehre.

Art. 13 der Apologie der Confessio Augustana verwirft „den ganzen haufen der scholastischen Doctoren, die lehren, daß die Sakramente dem, der kein Hindernis (obex) entgegensetzt, ex opere operato sine bono motu utentis, wenn schon das Herz alsdenn kein guten Gedanken hat, Gnade mitteilen"[24]. Der erste Satz der Bulle „Exsurge Domine" vom 15. Juni 1520 zitiert den der 7. Concl. der „Resolutiones disputationum de indulgentiarum virtute" (1518)[25] entnommenen Irrtum Luthers: „Eine häretische Ansicht ist es, aber eine gebräuchliche, zu sagen, die Sakramente des Neuen Gesetzes geben die rechtfertigende Gnade

[22] WA 26,506, 13-25.

[23] BSLK 450, 13-451,2.

[24] BSLK 295, 1-4; vgl. die Verdammungsformel von CA 13 nach der Editio princeps (BSLK 68) und der Ed. Variata (St. A. VI, 21,23 bis 28).

[25] WA 1, 544,35ff.

denen, die kein Hindernis entgegensetzen[26]." In der Assertio, der erneuten Behauptung aller in der Bulle Leos X. verurteilten Artikel, nennt Luther als Urheber dieser „häretischen Meinung" Skotus[27] und charakterisiert diese näher: „Als obex (Hindernis) bezeichnen sie die Todsünde oder den Vorsatz zu dergleichen, wie Mord, Ausschweifung oder ähnliches, so daß es für den Empfänger des Sakramentes genügt, aufzuhören mit dem Sündigen und den Vorsatz dazu aufzugeben, auch wenn er keinen guten Vorsatz faßt. Einige von ihnen sagen, nicht einmal eine gute Regung des Herzens sei erforderlich[28]."

In der Apologie wird der Ausdruck ex opere operato stereotyp erläutert durch die Zusätze: „sine bono motu accipientis", „sine bono motu cordis", „sine bono motu utentis, hoc est sine fide in Christum", „wenn schon das Herz gar nicht dabei ist", „durch unser Werk ex opere operato, das ist durch das getane Werk an ihm selbst sine bono motu utentis, wenn schon das Herz kein guten Gedanken hat"[29].

Im Hintergrund dieser reformatorischen Polemik gegen das opus operatum steht die durch die Brille Biels gesehene skotistische Sakramentenlehre, die dogmengeschichtlich vor allem in der Bußlehre Bedeutung hat[30]. Ob diese Sicht der skotistischen Sakramentenlehre gerecht wird, braucht hier nicht entschieden zu werden. Für das Verständnis der reformatorischen Polemik gegen das „ex opere operato" ist es wichtig, zu sehen, welche Auffassung vom „opus operatum" im Hintergrund steht und welches positive Anliegen dem entgegengestellt wird, nämlich die Aussage, daß Verheißung Gottes und Glaube zusammengehören.

2.2 „Opus operatum" im Zusammenhang der Verdienstlehre, insbesondere der Lehre von der Wirkweise der Werke und Fürbitten für die Verstorbenen (suffragia) und der Behandlung der Frage der Genugtuung (satisfactio).

26 DS 1451.

27 WA 7,102,17f; vgl. WA 1,286,20ff.

28 WA 7,102,21-25; vgl. Altenstaig, Vocabularius theologie 1517: Stichwort „Opus operatum".

29 BSLK 172,52f; 295,7; 238,48; 255,12; 256,37; 295,4f, 50f; 350,32; 352,21-25 dT.

30 Vgl. Pfnür, a.a.O. 64, Anm. 359.

In der CA bzw. der Ap. begegnet der Ausdruck „opus operatum" in Verbindung mit den vier traditionellen Werken, in die die suffragia eingeteilt werden. Es ist von der Messe, von Gebet, Fasten und Almosen als ‚satisfactiones ex opere operato' die Rede. Dieser Sprachgebrauch ist, wenn man den Begriff opus operatum nur auf die Sakramentenlehre bezieht, nicht zu verstehen. So heißt es in Art. 12 der Ap. im Zusammenhang der Ausführungen über die Genugtuung als dritten Teil der Buße: Die Gegner hätten „etzliche gewisse Fasten ... etliche Gebet, etliche gewisse Almosen, welche sollen ein Gottesdienst sein, welcher ex opere operato Gott versühne und von ewigem Verdammnis erlöse. Denn sie sagen und lehren, daß solch Werk, ex opere operato, das ist, durchs getane Werk für die Sünde gnug tun, und lehren, daß solche Satisfaktion gelte, obgleich einer in Todsunden liegt"[31].
Auch für die Frage der Zuwendung der Messe ex opere operato ist die im Hintergrund stehende und von Luther und Melanchthon bekämpfte Position zu beachten[32].
„Die Reformatoren kämpfen also gegen einen Begriff des ‚opus operatum', der einerseits durch seinen Sitz in der Suffragienlehre, andererseits durch die skotistische Sakramentenlehre bestimmt ist. Werden nun noch beide Momente miteinander verbunden[33], so ist es nicht verwunderlich, daß dieses so verstandene ‚opus operatum' in der reformatorischen Polemik zum Gegenbegriff der Rechtfertigung durch den Glauben wird[34]."

Beachtet man diesen Hintergrund der Polemik und andererseits die positiven Aussagen über die Wirkkraft der Sakramente, so ist m. E. ein Konsens zwischen lutherischer und katholischer Auffassung in dieser Frage gegeben.

Vinzenz Pfnür

[31] BSLK 283,19ff dT = 282,56ff lT; 215,6.19; 287,36ff; 347,48; 356,29f; WA 40 I 219,3ff; St. A. V 293,25-28. Vgl. Pfnür a.a.O. 47ff. 40f. 43f.
[32] S. u. Exkurs: Die Messe als Sühnopfer.
[33] Vgl. BSLK 367,24-30; s. u.
[34] Pfnür, a.a.O. 64.

4. DIE MESSE ALS SÜHNOPFER FÜR LEBENDE UND VERSTORBENE EX OPERE OPERATO

Katholiken und Lutheraner brachten im USA-Dialog die gemeinsame Überzeugung zum Ausdruck, daß in der Eucharistie das einmalige Kreuzesopfer Christi sakramental gegenwärtig ist und daß die Gemeinde teil hat an dem Opfer Christi[1]. Nicht geklärt wurde die Frage der Messe als Sühnopfer für Lebende und Verstorbene. CA 24 verurteilt als allgemein verbreitete Meinung, daß die Messe ein Werk sei, das die Sünde der Lebenden und Verstorbenen ex opere operato tilgt[2].

Für eine Klärung dieser Kontroversfrage ist es von entscheidender Bedeutung, den Hintergrund der reformatorischen Polemik zu beachten. Nach CA 24 hat die bekämpfte Lehre von der Messe als Sühnopfer für Lebende und Verstorbene ihren Ursprung in der „Auffassung (opinio), daß Christus durch sein Leiden für die Erbsünde genug getan hat und die Messe eingesetzt hat, damit in ihr ein Opfer geschehe für die täglichen Sünden, die schweren und die läßlichen“[3]. Aus der Auffassung von der Messe als Sühnopfer sei „weiter gefolget, daß man disputiert hat, ob ein Meß, fur viel gehalten, als viel verdiene, als so man für ein itzlichen ein sonderliche hielte. Daher ist die große unzählig Menge der Messen kummen, daß man mit diesem Werk hat wollen bei Gott alles erlangen, das man bedurft hat, und ist darneben des Glaubens an Christum und rechten Gottesdienst vergessen worden“[4].

Nicht das Wort „Opfer“, das Melanchthon wegen der Mehrdeutigkeit dieses Begriffs bewußt in der CA vermieden hat[5], sondern die Auffassung von der Messe als Werk ex opere operato, die bei den Kirchenvätern nicht zu finden sei,[6] ist der zen-

[1] USA I, I mit Hinweis u. a. auf WA 6, 370,3ff.

[2] BSLK 93,11ff; vgl. Ap 24: BSLK 367,18-33; CA, Ed. Variata 24: St.A. VI,40,12-33.

[3] BSLK 93,5-10. Vgl. W. Massa, Die Eucharistiepredigt am Vorabend der Reformation (Steyl 1966) 98-100; V. Pfnür, Einig in der Rechtfertigungslehre (Wiesbaden 1970) 56f.

[4] BSLK 93,13-22.

[5] BSLK 353,12ff; vgl. 360,21-26: „nos quidem facile patimur missam intelligi iuge sacrificium, modo ut tota missa intelligatur, hoc est, ceremonia cum praedicatione evangelii, fide, invocatione et gratiarum actione.“

[6] BSLK 368,39-41; 368,17-22; 375,47; 376,6f.

trale Kontroverspunkt[7]. Die Ap verweist in diesem Zusammenhang auf Gabriel Biel: „Aber unsere Gegner behaupten, die Messe sei ein Werk, das ex opere operato gerecht macht und Schuld und Strafe in denen tilgt, für die sie geschieht. So nämlich schreibt Gabriel[8]". Nach Biel, auf dessen Meßerklärung auch das 1517 erschienene theologische Lexikon von J. Altenstaig unter den Stichworten „missa", „opus operatum" und „suffragium" verweist, gibt es eine Wirkung der Messe ex opere operato auf zweifache Weise:

1. Auf Grund der göttlichen Einsetzung: Unter diesem Gesichtspunkt ist der Wert der Messe im Unterschied zum Kreuzopfer in sich selbst ex opere operato (und nicht erst auf Grund der Disposition der konkret Beteiligten) endlich. 2. Im Hinblick auf die Darbringung des Opfers: Unter diesem Gesichtspunkt hat „die einzelne Messe ex opere operato in sich ihren Wert, auch wenn alle konkret an dieser einzelnen Messe Beteiligten schlecht sind, nämlich im Hinblick auf die Verdienste und die Opfergesinnung der Kirche, die diese Messe als ihre Gabe Gott darbringt" und in deren Person der Priester opfert. „In dieser Hinsicht ist der Wert ex opere operato einmal größer und einmal kleiner, je nachdem ob die jeweiligen Verdienste und die Opfergesinnung der einzelnen Glieder der Kirche, die die Kirche ausmachen, größer oder kleiner sind[9]." Biel steht mit dieser

[7] Vgl. BSLK 351,35-39; 352,13-21; („opus nostrum ex opere operato"); 352,36-353,2; 360,5f; 360,33-37: „quod ceremonia sit opus ex opere operato iustificans aut applicandum pro aliis, ut mereatur eis remissionem peccatorum etc."; 359,5f (ceremonia ex opere operato"); 359,11-13 („sola ceremonia", „ceremonia ex opere operato"); 350,14-34; 362,3-7; 368,40 („meritum operis operati"); 374,6f; 374,34 und 375,13-15 („satisfactio ex opere operato"); 376,25 („sacrificia ex opere operato").

[8] BSLK 200,33-37; vgl. ebd. 321,14f. Vgl. V. Pfnür, a.a.O. 34.

[9] V. Pfnür, a.a.O. 51-55. Eine sachliche Entsprechung zu dieser Auffassung vom opus operatum findet sich etwa auch bei der Frage nach dem Sinn des Breviergebetes. Nach der Summa angelica hat das Breviergebet eines unandächtigen und in der Todsünde stehenden Priesters, wenn es nur äußerlich abgeleistet wird, dennoch seinen Wert, „weil die Schlechtigkeit des Dieners (des Priesters) dem guten Werk des Handelnden (der Kirche) nicht schadet". Ähnlich ist es nach einer Schulrichtung bei der Gewinnung eines Ablasses für die Verstorbenen nicht nötig, daß der, der anstelle des Verstor-

(zur Zeit der Reformation etwa von Silvester Prierias und heute von der katholischen Theologie allgemein abgelehnten) Meinung nicht allein: „Die Diskussion über den Wert und die Wirkung der Messe geht durch das ganze Mittelalter. Die Meinung, daß die Wirkkraft der Messe schon in sich und nicht erst auf Grund der Disposition der beteiligten Menschen begrenzt ist, setzte sich im Spätmittelalter immer mehr durch[10].“ Abgesehen von dieser von führenden Schultheologen vertretenen Meinung von dem in sich, ex opere operato, begrenzten und endlichen Wert der Messe sind für das Verständnis der reformatorischen Polemik auch die in der Predigt-[11] und Erbauungsliteratur und im Volksglauben verbreiteten Anschauungen über die Wirkkraft der Messe und die Auswirkung dieser Anschauungen auf die Praxis des religiösen Lebens von Bedeutung. Vgl. etwa die sichere Wirkung („ex opere operato“), die man bestimmten Meßformularen und Meßreihen zuschrieb[12] und die Bedeutung der Institution der Altaristen oder Meßpriester bzw. Meßpfründner, die von den Meßstiftungen lebten und deren Aufgabe es war, im Sinne der Stifter an bestimmten Tagen eine Messe zu lesen[13]. Für die Frage der Applikation der Messe ist die damals verbreitete Auffassung zu berücksichtigen von der unfehlbaren Wirkung bestimmter Messen, insbesondere zur „Erlösung“, „Befreiung“ der armen Seelen[14].

benen handelt und für ihn das äußerliche Werk verrichtet, im Stand der Gnade ist (vgl. V. Pfnür, a.a.O. 49f).

10 E. Iserloh, Der Wert der Messe in der Diskussion der Theologen vom Mittelalter bis zum 16. Jahrhundert: ZkTh 83 (1961) 79.

11 Vgl. W. Massa, a.a.O.

12 Vgl. Dionysius Cartusianus: „Quidam ex ficta devotione dicunt, quod quicumque legerint tot aut tot Missas, quas vocant aureas, pro certa anima in purgatorio existente, certitudinaliter redimet eam, attribuentes illi numero Missarum aut certis orationibus quodammodo ex opere operato talem ac tantam virtutem incurrentes per hoc superstitionis peccatum“ (zit. nach V. Pfnür, a.a.O. 61). Vgl. A. Franz, Die Messe im deutschen Mittelalter (Freiburg 1902) 218-219.

13 „In Münster zählte man 1421 außer den Domaltaristen allein 77 solcher Meßpfründner.“ (H. Schröer, Die Kirche in Westfalen vor der Reformation, Münster 1967, I.169).

14 Vgl. BSLK 352,44-46: „Volunt impetrare, quidquid in omni vita opus est; volunt etiam mortuos liberare;“ 367,44-368,4; 373,36-39;

Wenn Melanchthon von der Applicatio an Ungerechte, die keinen obex setzen, spricht[15], so verbindet er hier die oben ausgeführte skotistische Auffassung von der Wirksamkeit der Sakramente ex opere operato mit der im Zusammenhang der Suffragienlehre zu sehenden Auffassung von der Darbringung der Messe ex opere operato[16].

Nur wenn dieser Hintergrund in Rechnung gestellt wird, ist der Kampf der CA und Ap gegen die Messe als Werk, satisfactio, sacrificium ceremonia ex opere operato richtig einzuordnen. Andererseits wird die Polemik der Reformatoren, vor allem Luthers, der katholischen Seite insofern nicht gerecht, als sie die bekämpften Anschauungen mit der katholischen Position überhaupt identifiziert und differenziertere Aussagen katholischer Theologen nicht zur Kenntnis nimmt oder beiseite schiebt[17]. Für die Situation nach der Liturgiereform des Zweiten Vatikanischen Konzils sind Luthers Worte von dem Greuel der Messe[18] nicht mehr angemessen.

Sachlich ergibt sich insofern eine Konvergenz, als *katholischerseits* gegenüber einer ritualistischen Veräußerlichung und der oben skizzierten Auffassung von der Messe als Werk ex opere operato *die Bedeutung der gläubigen Anteilnahme der ganzen feiernden Gemeinde betont wird,* gegenüber der Auffassung vom ex opere operato endlichen Wert der Messe im Unterschied zum Kreuzesopfer: die Einheit von Messe und Kreuzesopfer (die Messe als Gegenwärtigsetzung des Kreuzesopfers) gelehrt

420,22f. Vgl. „Gülden Mess“: WA 30 II 297,28ff; BSLK 75,26. „Funff messen“: WA 30 II 611,15ff — „Swer diz funf mess sprichet ainer sel mit andacht, die wird erlost und solt si bis an den iungsten tag in dem fegfur sin“ (A. Franz, a.a.O. 262; vgl. ebd. 250).

[15] BSLK 367,27f: „... applicata pro aliis etiam iniustis, non ponentibus obicem, mereatur eis remissionem peccatorum, culpae et poenae;“ 376,17-19.

[16] s. o. Abschnitt, Die Wirksamkeit der Sakramente.

[17] Vgl. etwa Silvester Prierias, Schatzgeyer u. a. Vgl. Luthers Kommentar zum Verständnis der Messe als „sacrificium mysteriale“ (WA Tr Nr. 1320).

[18] Vgl. WA 15,774;19-21: „Ich sag, das alle gmayne hewser, die doch gott ernstlich verbotten hat, ja alle todtschleg, diebstal, mord unnd eebruch nitt also schedlich seyn als diser grewel der Papisten Mess;“ Schmalkaldische Artikel II.

wird und die im Volksglauben verbreitete Anschauung von der unfehlbaren Wirkung bestimmter Meßformen und Meßreihen zur Erlösung einer Seele bereits im Konzil von Trient korrigiert wurde[19], umgekehrt auf *reformatorischer* Seite gegenüber einem individualistischen Verständnis des Abendmahls als Zuspruch der Sündenvergebung an den einzelnen die Gemeinschaft des Leibes Christi mehr betont wird[20] und die Möglichkeit der Fürbitte für die Verstorbenen nicht abgelehnt wird[21].

Daß eine solche Fürbitte für die Verstorbenen gerade in der Verbindung mit dem im Abendmahle gegenwärtigen Herrn, der beim Vater für uns eintritt, ausgesprochen wird, dürfte dann für Lutheraner und Katholiken kein trennender Streitpunkt mehr sein.

Vinzenz Pfnür

5. DIE EUCHARISTIE ALS GEMEINSCHAFTSMAHL

Das Problem der Messen ohne Beteiligung des Volkes („Privatmessen") und die Frage des Laienkelches

Die lutherischen Bekenntnisse betonen, daß — entsprechend dem Befehl der Einsetzungsworte — die Eucharistie auf den Empfang, und zwar auf den Empfang in der Kommunion der

19 Vgl. Concilium Tridentinum, Decretum de observandis et vitandis in celebratione missarum: „Quarundam vero missarum et candelarum certum numerum, qui magis a superstitioso cultu quam a vera religione inventus est, omnino ab ecclesia removeant" (Conciliorum oecumenicorum decreta, ed. J. Alberigo etc., Bologna 1972, 737, 15-17).

20 Vgl. WA 2,743,20-744,7.

21 BSLK 375,45f (vgl. USA I, I 2c); 376,1-12. Evangelischer Erwachsenenkatechismus (Gütersloh 1975) 539: „Die Gemeinschaft der Glaubenden, die Kirche, wird durch den Tod nicht zerbrochen. Wie im Leben, so ist auch im Tode der Christ auf die Gemeinschaft angewiesen. Im Gebet tritt die Gemeinde für den Entschlafenen vor Gott ein, sie erbittet für ihn Vergebung der Schuld, Annahme bei Gott und das ewige Leben. Wenn in manchen Gemeinden der Tote am Grab gesegnet wird, dann ist das ein sinnenfälliger Ausdruck für die Verbundenheit über den Tod hinaus. Dieser Segen ist eine Zuspitzung der Fürbitte für den Verstorbenen."

Gemeinde, ausgerichtet ist[1]. Sie sehen in den „Privatmessen" einen Brauch, der weder den Einsetzungsworten noch der eucharistischen Praxis der alten Kirche entspricht und den ebenfalls die othodoxen Kirchen nicht kennen[2].

Auch nach katholischer Lehre ist die Eucharistie auf den Empfang ausgerichtet[3]. Heute wird außerdem der Charakter der Eucharistie als eines Gemeinschaftsmahles stark betont[4]. Dennoch wird die Praxis der Messen ohne Beteiligung des Volkes beibehalten[5].

[1] CA XXIV, 34 (BSLK 94f): „Dieweil nun die Messe nicht ein Opfer ist für andere, Lebendige oder Tote, ihre Sünde wegzunehmen, sondern soll eine Kommunion sein, da der Priester und andere das Sakrament empfahen für sich: so wird diese Weise bei uns gehalten, daß man an Feiertagen, auch sonst, so Kommunikanten da seind, Mess hält und etlich, so das begehren, kommuniziert".

[2] Apol. XXIV, 6-8 (BSLK 350f): im Blick auf Luther vgl. V. Vajta, Die Theologie des Gottesdienstes bei Luther, 1952, 87ff.

[3] „... quod (sacramentum) fuerit a Christo Domino, ut sumatur (cf. Mt 26,26ss), institutum" (DS 1643). In der „Gemeinsamen Erklärung über die Lehre von der Eucharistie" der Anglikanisch/Römisch-katholischen Internationalen Kommission („Windsor-Erklärung", 1971) heißt es: „Die Herrenworte beim letzten Mahl ‚Nehmet, esset, das ist mein Leib' erlauben uns nicht, die Gabe der Gegenwart von der Handlung des sakramentalen Essens zu trennen. Die Elemente sind nicht bloße Zeichen: Christi Leib und Blut werden wirklich gegenwärtig und werden wirklich gegeben. Aber sie sind wirklich gegenwärtig und werden gegeben, damit die Gläubigen, indem sie sie empfangen, zur Gemeinschaft mit dem Herrn Christus vereinigt werden" (Nr. 9).

[4] Vatikanum II, Sacrosanctum Concilium 26 und 27: „Die liturgischen Handlungen sind nicht privater Natur, sondern Feiern der Kirche, die das ‚Sakrament der Einheit' ist ... Wenn Riten gemäß ihrer Eigenart auf gemeinschaftliche Feier mit Beteiligung und tätiger Teilnahme der Gläubigen angelegt sind, dann soll nachdrücklich betont werden, daß ihre Feier in Gemeinschaft — im Rahmen des Möglichen — der vom einzelnen privat vollzogenen vorzuziehen ist. Das gilt vor allem für die Feier der Messe — wobei bestehen bleibt, daß die Messe in jedem Fall öffentlichen und sozialen Charakter hat — und für die Spendung der Sakramente".

[5] Vatikanum II, Presb. ord. 13: „Im Mysterium des eucharistischen Opfers, dessen Darbringung die vornehmliche Aufgabe des Priesters ist, wird beständig das Werk unserer Erlösung vollzogen; darum wird seine tägliche Feier dringend empfohlen; sie ist auch dann, wenn keine Gläubigen dabeisein können, ein Akt Christi und der Kirche." Vgl. Instructio de cultu mysterii eucharistici Nr. 44.

Nach katholischer Auffassung widerspricht dies nicht dem Charakter der Eucharistie als eines Gemeinschaftsmahles, weil „die Messe in jedem Fall öffentlichen und sozialen Charakter hat“[6] und ein „Akt der Kirche“[7] ist. Die Feier der Eucharistie umfaßt die Kommunizierenden „zu allen Zeiten und an allen Orten“; in ihr wird „selbst die Grenze der irdischen Wirklichkeit überschritten, indem uns der Heilige Geist auch mit denen verbindet, die uns im Glauben vorausgegangen sind und zur bleibenden Gottesgemeinschaft gerufen werden“[8]. Obwohl die Lutheraner diesen umfassenden Gemeinschaftscharakter der Eucharistie bejahen können, ist für sie dadurch noch nicht die Praxis der „Privatmessen“ legitimiert.
In der Tat ist für diese katholische Praxis der Gedanke ausschlaggebend, daß „jede Messe, die zelebriert wird, nicht nur für einiger Heil, sondern für das Heil der ganzen Welt dargebracht wird“[9]. Der enge Bezug dieses Gedankens zu der vom Tridentinum formulierten[10], schon in patristischer Zeit vertreten, von lutherischer Seite jedoch abgelehnten[11] Auffassung, daß das Meßopfer nicht nur für die anwesenden Kommunikanten, sondern auch für andere — „Lebende und Verstorbene“ — vollzogen werde, ist deutlich sichtbar. Auch wenn lutherischerseits diese Auffassung im Sinne einer Fürbitte für die nichtanwesenden Lebenden und die Verstorbenen interpretiert und in dieser Form vielleicht bejaht werden kann, so würde das nach lutherischem Denken nicht die Bejahung der „Privatmessen“ nach sich ziehen.
Hier bleibt also trotz gemeinsamer Grundüberzeugungen eine Divergenz zwischen katholischer und lutherischer Auffassung und Praxis.

In Verbindung mit dem Verständnis der Eucharistie als eines Gemeinschaftsmahles stellt sich die Frage nach der Austeilung und dem Empfang des Sakraments unter beiderlei Gestalt.

[6] s. o. Anm. 4. [7] s. o. Anm. 5.
[8] s. o. Das Herrenmahl, Nr. 27.
[9] Enzykl. „Mysterium fidei“ vom 3. Sept. 1965 AAS 57 (1965), S. 761; vgl. Instructio de cultu mysterii eucharistici Nr. 44: „... in quo (sc. actu) sacerdos semper agit pro salute populi“.
[10] DS 1753. [11] s. o. Anm. 1.

Die lutherischen Bekenntnisse fordern den Laienkelch[12] und verurteilen den Entzug des Laienkelches als Mißbrauch[13] aufgrund des Befehls und der Einsetzungsworte Christi, nicht weil sie verneinen, daß Christus unter jeder der beiden Gestalten ganz gegenwärtig ist. Es geht also bei der Forderung nach dem Laienkelch um die stiftungsgemäße Vollkommenheit und Ganzheit des sakramentalen Zeichens[14].

Auf katholischer Seite wird heute — unter Wahrung der Lehrentscheidungen von Trient, besonders der Lehre über die Gegenwart des ganzen Christus unter jeder Gestalt[15] — betont, daß das sakramentale Zeichen in der Kommunion unter beiderlei Gestalt vollständiger und vollkommener sei als unter nur einer Gestalt[16]. Deshalb wird neuerdings in einer Reihe von bestimmten Fällen die Austeilung auch des Kelches an Laien offiziell gestattet[17].

Es bleiben also in der Frage des Empfangs der Eucharistie unter beiderlei Gestalt (Problem des Laienkelches) zwar noch Unterschiede zwischen katholischer und lutherischer Auffassung und Praxis; jedoch besteht hier nicht mehr ein völliger Gegensatz.

Harding Meyer

[12] CA XXII; Apol. XXII.

[13] FC Ep. VII, 24 (BSLK 801); FC SD VII, 110 (BSLK 1010f).

[14] In den Schmalkaldischen Artikeln heißt es: „Wir bedürfen der hohen Kunst nicht, die uns lehre, daß unter einer Gestalt soviel sei als unter beiden, wie uns die Sophisten und das Concilium zu Konstanz lehren; denn ob's gleich wahr wäre, daß unter einer soviel sei als unter beiden, so ist doch die eine Gestalt nicht die ganze Ordnung und Einsetzung, durch Christum gestiftet und befohlen" (SA, 3. Teil, VI, 2 und 3 (BSLK 451). Auf den ihm zum Widerruf vorgelegten Satz „Sub altera tamen specie non esse integrum neque legitimum sacramentum" antwortet Luther in Worms: „Hoc dixi de speciebus, non de re contenta in sacramento. Nam in una specie totum Christum accipi dixi. Sed non plenum sacramentum, id est, non utranque speciem!" (WA 7,608); vgl. H. Grass, Die Abendmahlslehre bei Luther und Calvin, 1954, 48ff und 55f.

[15] DS 1726-1729.

[16] „Formam ratione signi pleniorem habet sacra communio cum fit utraque specie. In ea enim forma ... signum eucharistici convivii perfectius elucet ..." Instructio de cultu mysterii eucharistici Nr. 32.

[17] Instructio de cultu mysterii eucharistici a.a.O.

6. EUCHARISTIE — MAHL DER SÜNDER?

J. A. Jungmann sieht „in den zwei Jahrtausenden der Kirchengeschichte hinsichtlich der Kommunionfrequenz die denkbar gegensätzlichsten Standpunkte eingenommen: einerseits die bedenkenlose Zuversicht, daß derjenige, der durch die Taufe in Christus eingepflanzt und in das Volk Gottes aufgenommen ist, auch das Brot vom Himmel als sein tägliches Brot betrachten darf; anderseits das Gefühl der Scheu und des Zagens, das mehr auf die menschliche Schwäche als auf die gnadenhafte Würde des Christen sieht und das auch den Frommen zurückhält, öfter dem heiligen Geheimnis zu nahen"[1]. Auf der einen Seite steht vor allem die Berufung auf 1 Kor 11,27ff: „Wer also unwürdig von dem Brot ißt und aus dem Kelch des Herrn trinkt, macht sich an Leib und Blut des Herrn schuldig. Jeder soll sich selbst prüfen, und dann soll er von dem Brot essen und aus dem Kelch trinken. Denn wer ißt und trinkt, ohne zu bedenken, daß es der Leib des Herrn ist, der richtet sich selbst, indem er ißt und trinkt." „Wenn es sich nicht ziemt, zu irgendwelchen heiligen Handlungen wenn nicht heilig hinzuzutreten, so muß sicher, je mehr die Heiligkeit und Göttlichkeit dieses himmlischen Sakramentes für einen Christen gewiß ist, jener um so gewissenhafter sich hüten, daß er nicht ohne große Ehrfurcht und Heiligkeit zum Empfang hinzutritt, besonders da wir beim Apostel jene Worte voll heiligen Schauers lesen: ‚Wer unwürdig ißt und trinkt, der ißt und trinkt sich das Gericht, da er den Leib des Herrn nicht unterscheidet'[2]." In der Liturgie der orientalischen Kirchen findet diese Frömmigkeitshaltung ihren Niederschlag in dem Ruf vor der Kommunion: „Das Heilige den Heiligen"[3].

Auf der anderen Seite steht die Berufung auf das Vorbild des Zachäus (Lk 19,1-10), „der freudig den Herrn in sein Haus aufnahm"[4], oder auf die Vaterunser-Bitte um das tägliche Brot[5]

[1] J. A. Jungmann, Missarum sollemnia II (Freiburg [5]1962) 454.

[2] Konzil von Trient, Dekret über die hl. Eucharistie, c. 7: DS 1646. Vgl. Origenes, In psalm. 37 hom. 2,6: PG 12, 1386 D; Athanasius, 'Επιστολὴ ἑορταστική 5.5: PG 26,1382f; J. Chrysostomus, Hom. zum 1. Kor 28,1.

[3] Vgl. Const. Ap. VIII 13,12; Cyrill von Jerusalem, Cat. myst. V 19; vgl. Didache X, 6.

[4] Vgl. Augustinus, Ep. ad Jan. 54 c. 4: CSEL 34, 162.

und der Hinweis darauf, daß wir von uns aus nie sündlos sind und so immer der Eucharistie als Heilmittel bedürfen: „Wir müssen uns jedoch nicht deshalb vom Herrenmahl fernhalten, weil wir uns als Sünder erkennen, sondern wir sollen zu ihm mehr und mehr begierig eilen wegen des Heilmittels der Seele und der Reinigung des Geistes, jedoch mit der Demut des Geistes und dem Glauben, daß wir, uns unwürdig des Empfanges dieser so großen Gnade erachtend, eher Heilmittel für unsere Sünden erbitten; andernfalls kann nämlich auch die jährliche Kommunion nicht würdig empfangen werden, wie es einige in den Klöstern halten, die die Würde, die Heiligkeit und die Erhabenheit der himmlischen Sakramente so sehr bemessen, daß sie meinen, nur Heilige und Sündenlose dürften sie empfangen, und nicht umgekehrt, daß sie uns heilig und rein durch ihre Anteilhabe machen. Diese fallen in der Tat in eine größere Anmaßung des Hochmutes, den sie zu vermeiden meinen, weil sie dann, wenn sie sie [die himmlischen Sakramente] empfangen, sich als würdig des Empfanges erachten. Um vieles mehr aber ist es gerechter, daß wir mit dieser Demut des Herzens, mit der wir glauben und bekennen, daß wir diese hochheiligen Geheimnisse niemals nach Verdienst erlangen können, diese an den einzelnen Sonntagen als Heilmittel für unsere Schwächen empfangen, als daß wir aufgebläht in der eitlen Überzeugung des Herzens uns nach einem Jahr für würdig der Teilnahme daran erachten[6]."
In der faktischen Entwicklung setzte sich im Mittelalter die Frömmigkeitshaltung durch, die in der Eucharistie mehr das „mysterium tremendum" sah[7]. „Die Laien gingen einmal, die besonders frommen zwei- bis viermal im Jahre, die Ordensleute einmal monatlich oder höchstens einmal in der Woche[8]." Innerhalb der Orden war „den Laienbrüdern und Laienschwestern die Kommunion nicht so oft gestattet wie den Klerikern und Chorschwestern. Man würde es als Anmaßung aufgefaßt haben, wenn sie diese Gleichstellung erstrebt hätten[9]."
Auf diesem Hintergrund der mittelalterlichen Eucharistiefröm-

[5] Vgl. Cyprian von Carthago, De dominica oratione c. 18.
[6] Joh. Cassian, Collationes patrum 23 c. 21.
[7] Vgl. J. A. Jungmann, a.a.O. 450.
[8] P. Browe, Die häufige Kommunion im Mittelalter (Münster 1938) 162.
[9] Ebd. 145f.

migkeit — im Spätmittelalter setzte allerdings bereits eine gewisse Wende ein — sind Luthers Äußerungen zu beurteilen: Der Glaube, d. h. das Vertrauen auf Gottes Gnadengabe, nicht das Bemühen um die eigene Würdigkeit, ist nach Luthers Sakramentspredigten von 1518-1523 die rechte Vorbereitung auf die Kommunion: „Das heysset dan wirdig zum sacrament gangen, wilch wirdigkeit nit an unsern vleys, mühe, arbeytt, betten, oder fasten, sondern an der gottlichen worten warheit ligt[10]." Luther formuliert jedoch sein Anliegen manchmal überscharf: „Die beste Vorbereitung ist nur die, wenn du am schlechtesten vorbereitet bist[11]." „Laß eynen andernn beeten, fasten, beychten, sich zur Meß und sacrament bereyten, wie er wil. Thu du desselben gleychen ßo ferne, das du wissest, das allis das lautter narrn werg und triegerey ist, ßo du nit die wort des testaments fur dich nympst und den glauben und begirde dartzu erweckst[12]." „Groß ist der Irrtum derer, die darauf gestützt zum Sakrament der Eucharistie hinzutreten, daß sie gebeichtet haben, daß sie sich keiner Todsünde bewußt sind, daß sie ihre Gebete und Vorbereitungen vorausgeschickt haben — alle jene essen und trinken sich das Gericht. Aber wenn sie glauben und vertrauen, daß sie dort Gnade erlangen, so macht sie dieser Glaube allein rein und würdig[13]." In der Bulle „Exsurge Domine" (1520) ist dieser Satz Luthers unter die als „häretisch oder anstößig oder irrig oder für die frommen Ohren Ärgernis erregend oder die einfachen Geister verführend" verurteilten Artikel aufgenommen[14]. Das Konzil von Trient formuliert in can. 11 des Dekrets über die hl. Eucharistie: „Wer sagt, der

10 Luther, Sermon von der würdigen Empfahung des heiligen wahren Leichnams Christi (Gründonnerstag 1521): WA 7, 695, 10ff von Cochlaeus ausgezogen in den Articuli CCCCC, art. 172; vgl. art. 173: WA 7, 696, 9-16.

11 Luther, Sermo de digna praeparatione (1518): Optima dispositio est non nisi ea, qua pessime es dispositus: WA 1,330,24f; vgl. ebd. 331,19ff.

12 Luther, Ein Sermon von dem neuen Testament: WA 6, 360, 32-361, 3; vgl. WA 6, 526, 24f, ausgezogen von J. Eck, articuli 404, art. 247; WA 8, 433, 39ff = WA 8, 508, 32ff, ausgezogen von J. Eck, articuli 404, art. 246.

13 Luther, Sermo de digna praeparatione: WA 1, 330, 36ff; vgl. Luther, Instructio pro confessione peccatorum (1518): WA 1, 264, 9-15.

14 DS 1465. Vgl. 1492; vgl. Determinatio theol. Par.: CR I 380.

bloße Glaube sei eine hinreichende Vorbereitung auf den Genuß des Sakramentes der heiligsten Eucharistie, der sei ausgeschlossen. Damit ein so hohes Sakrament nicht unwürdig und so zum Tod und zur Verdammung genossen werde, so bestimmt und erklärt diese heilige Kirchenversammlung, daß diejenigen, die das Gewissen einer schweren Sünde beschuldigt, wie sehr sie auch glauben, die Reue zu haben, doch notwendig vorher die sakramentale Beichte ablegen müssen, wenn sie einen Beichtvater erreichen können. Wer es sich anmaßt, das Gegenteil zu lehren, zu predigen, hartnäckig zu behaupten oder auch bei öffentlicher Disputation zu verteidigen, der sei ohne weiteres ausgeschlossen[15]." Zur sachgerechten Beurteilung dieser entgegengesetzten Positionen ist zunächst die verschiedene Aussageintention zu beachten. Luther wendet sich gegen ein falsches Vertrauen auf die eigene Würdigkeit, das Konzil von Trient gegen die Gefahren der sola-fides-Lehre, wobei sowohl die überspitzte Formulierungsweise Luthers mit den auch von Luther nicht gewollten Auswirkungen im Volk wie auch das verkürzte Verständnis der lutherischen sola-fides-Lehre durch das Konzil von Trient[16] in Rechnung zu stellen sind. Eine Konvergenz in der Sache ist ferner dadurch gegeben, daß auch nach der katholischen Tradition der Empfang des Eucharistiesakramentes nicht die Belohnung für die eigene würdige Vorbereitung ist[17], und umgekehrt auch Luther und die lutherischen Bekenntnisschriften im Gefolge der weiteren Entwicklung der Reformation die Gefahr der billigen Gnade gesehen haben und die anfangs vernachlässigte Unterscheidung der Sünde wieder hervorheben[18]. So betonen die

15 DS 1661.

16 Zum Verständnis der lutherischen sola-fides-Lehre vgl. die Irrtumslisten bei A. de Vega, Ambros. Catharinus, Dom. de Soto, A. Delphinus: vgl. V. Pfnür, Zur Verurteilung der reformatorischen Rechtfertigungslehre auf dem Konzil von Trient, in: Annuarium historiae conciliorum 8, 1976, 407-428.

17 S. o. Anm. 6. Vgl. Pius X: „... nec, ut sumentibus id quasi merces aut praemium sit suarum virtutum": DS 3375.

18 Vgl. Melanchthon, Loci 1521: St. A. II 17, 21-27 mit 139f; 412ff; Apologie, Art. 4: „Quare fides illa ... non manet in his, qui obtemperant cupiditatibus, nec existit cum mortali peccato" (BSLK 188, 33ff). Vgl. zum Begriff „Todsünde" bei Luther und Melanchthon: V. Pfnür, Einig in der Rechtfertigungslehre? (Wiesbaden 1970) 182-193.

Schmalkaldischen Artikel in Abgrenzung gegenüber den Schwärmern den Unterschied zwischen dem nach der Taufe verbliebenen erbsündigen Rest und den öffentlichen Sünden: „Wiederumb ob etliche Rottengeister kommen würden ... die da halten, daß alle die, so einmal den Geist oder Vergebung der Sunden empfangen hätten oder gläubig worden wären, wenn dieselbigen hernach sundigeten, so blieben sie gleichwohl im Glauben und schadet ihnen solche Sunde nicht und schreien also: ‚Tu, was du willt, gläubst du, so ist's alles nichts, der Glaube vertilget alle Sunde' etc., sagen dazu, wo jemand nach dem Glauben und Geist sundiget, so habe er den Geist und Glauben nie recht gehabt ... Darümb so ist vonnöten, zu wissen und zu lehren, daß, wo die heiligen Leute über das, so sie die Erbsunde noch haben und fühlen, dawider auch täglich büßen und streiten, etwa in offentliche Sunde fallen als David in Ehebruch, Mord und Gotteslästerung, daß alsdenn der Glaube und Geist weg ist gewest ...[19]". Unter Voraussetzung dieser Unterscheidung lehren die Schmalkaldischen Artikel, wie auch die meisten lutherischen Kirchenordnungen, „daß man offenbärliche halsstarrige Sünder nicht soll lassen zum Sakrament oder ander Gemeinschaft der Kirchen kommen, bis sie sich bessern und die Sünde meiden"[20]. Nach Art. 28 der Apologie hat ein

[19] BSLK 448, 4-24; vgl. CA 12: BSLK 67, 12ff; Luther: BSLK 707, 5-10; WA 30 II 670, 25; WA 40 I, 322; WA 32, 524, 5ff; WA 39 I, 101, 22; WA 45, 146, 34-147, 33; WA 50, 599, 5-600, 2.

[20] BSLK 457, 1ff; vgl. Unterricht der Visitatoren (1528): „Zum ersten sollen Pfarrherrn die Leute unterrichten wie große Sünde es ist, das Sakrament unehren und nicht recht brauchen; denn Paulus spricht 1 Kor 11: ‚Sie sind schuldig am Leibe und Blute Christi' ... Darum sollen auch die nicht zum Sakrament gelassen werden, die in öffentlichen Sünden, Ehebruch, Völlerei und dergleichen liegen und davon nicht ablassen": St. A. I 241,9ff vgl. ebd. 262, 5-10; Braunschweiger Kirchenordnung (1528): Vam banne: Sehling VI/1 384 = Hamburger Kirchenordnung (1529): Sehling V 509; Brandenburg-Nürnberg, Kinderpredigten (1533): Sehling XI 274; Hannover. Kirchenordnung (1536): „... Welche in schendlichen lastern leben, dadurch menniglich geergert wird, sollen nach evangelischer ordnung brüderlich gestrafft und vermanet werden, sich zu bessern, und wo solche straffe nichts an ihnen erschliessen wil, söllen sie die prediger nicht zu Gottes tisch zulassen, wiewol man ihnen die predigt dennoch nicht verbieten sol ..." (Sehling VI/2 1008); Luther, Predigten des Jahres 1523: „... Aber das Sacrament soll man nicht

Bischof auch die Jurisdiktionsgewalt, d. h. „Macht und Gewalt aus der christlichen Gemeinde zu schließen diejenigen, so in öffentlichen Lastern funden werden, und dieselbigen, wenn sie sich bekehren, wieder anzunehmen, und ihnen die Absolution mitzuteilen"[21]. So ergibt sich im Blick auf die katholische und lutherische Lehrtradition eine gemeinsame Grundüberzeugung: Einerseits sind wir nie so würdig, daß wir durch unsere Würdigkeit die Gnade der Eucharistie verdienen könnten. Anderseits sind bestimmte Grundvoraussetzungen notwendig, damit das Mahl des Herrn und nicht bloß ein rein menschliches Gemeinschaftsmahl begangen wird, die Kirche sich nicht „an Leib und Blut des Herrn schuldig" macht und nicht „Gottes Wort und Gott selbst bei den Ungläubigen verachtet und verlästert wird"[22].

Im Rahmen dieser Grundüberzeugung gab es und wird es in der Frömmigkeitshaltung unterschiedliche Akzentuierungen geben.

Vinzenz Pfnür

also under die leut ynn hauffen werffen, wie der Bapst thon hat: Wen ich das Euangelion predige, weyß ich nicht, wen es trifft, Hie aber sol ich dafur halten, das den troffen hab, welcher zum sacrament kompt ... Darnach kundt man spuren und sehen, ab sich die das Sacrament nemen, also beweiseten, das frucht drauß folgete, unnd die lieb erzeigten. Wo sie nicht wolten darnach thon, kündt man die selben ußschliessen auß der gemein", (WA 12, 485. 491). Vgl. auch E. W. Zeeden, Katholische Überlieferungen in den lutherischen Kirchenordnungen des 16. Jahrhunderts (Münster 1959) 61ff.

21 BSLK 400,18ff. Vgl. CA 25: „Dann diese Gewohnheit wird bei uns gehalten, das Sakrament nicht zu reichen denen, so nicht zuvor verhort und absolviert seind" (BSLK 97,34ff).

22 Sehling XI 274.

ABKÜRZUNGEN

Accra:	Accra-Sitzung der Kommission für Glauben und Kirchenverfassung, Die Eucharistie (vgl. S. 11f.)
Ap:	Apologia Confessionis Augustanae
CA:	Confessio Augustana
BLSK:	Die Bekenntnisschriften der evangelisch-lutherischen Kirche. Hrsg. im Gedenkjahr der Augsburgischen Konfession (Göttingen ^{5}1963)
CR:	Corpus Reformatorum. Hrsg. von C. G. Bretschneider und H. E. Bindseil (Braunschweig 1834-1860)
Dombes I:	Gruppe von Dombes, Auf dem Weg zu ein und demselben eucharistischen Glauben (vgl. S. 12)
Dombes II:	Gruppe von Dombes, Die Bedeutung der Eucharistie (vgl. S. 12)
DS:	H. Denzinger / A. Schönmetzer, Enchiridion symbolorum definitionum et declarationum de rebus fidei et morum (Herder ^{34}1965)
dT:	deutscher Text
lT:	lateinischer Text
Löwen:	Löwen-Sitzung der Kommission für Glauben und Kirchenverfassung, Interkommunion oder Gemeinschaft? und Eucharistie im ökumenischen Denken (vgl. S. 11)
Malta:	Malta-Bericht der internationalen lutherisch/römisch-katholischen Studienkommission, Das Evangelium und die Kirche (vgl. S. 12)
MSA:	Melanchthons Werke in Auswahl. Studienausgabe. Hrsg. von R. Stupperich (Gütersloh 1951ff)
Sch:	F. W. Schirrmacher, Briefe und Acten zu der Geschichte des Religionsgesprächs zu Marburg 1529 und des Reichstags zu Augsburg (Gotha 1876)

USA I: Bericht über offizielle lutherisch / römisch-katholische Gespräche in den USA, Die Eucharistie (vgl. S. 12)

USA II: Bericht über offizielle lutherisch / römisch-katholische Gespräche in den USA, Eucharistie und Amt (vgl. S. 12)

WA: D. Martin Luthers Werke. Kritische Gesamtausgabe (Weimar 1883ff)

Windsor: Windsor-Erklärung der internationalen anglikanisch / römisch-katholischen Kommission über die Lehre von der Eucharistie (vgl. S. 12)